Guy Girard
Armand Girard

ALLIANCE

Georgette Faniel et Janko Bubalo
un signe pour Medjugorje

Les éditions
Sakramento

Déclaration

Conformément aux décrets du Pape Urbain VIII, les éditeurs de ces révélations déclarent se soumettre au jugement du Saint-Siège. Dans les A.A.S. 58/16 du 29.12.1966 a été publié un décret de la congrégation pour la Doctrine de la Foi, approuvé par S.S. le pape Paul VI le 14.10.1966, selon lequel les articles 1399 et 2318 du Droit Canon ont été abrogés. Il est permis de publier, sans *imprimatur*, des textes se rapportant à de nouvelles révélations, apparitions, prophéties ou miracles, sans engager la Sainte Église catholique romaine.

© Les Editions Sakramento

ISBN 2 - 915380 - 59 - 7

EAN: 9782915380590

Dépôt légal juin 2014

Les Editions Sakramento
14 rue Alphonse Daudet
75014 Paris – France
www.sakramento.com

Nous dédions ce livre

à Marie Reine de la Paix,

à notre Mère spirituelle Mimi,

à notre mère Marie-Rose qui a tant prié Marie,

à tous ceux et celles qui aiment Marie

et qu'Elle nomme «Mes chers enfants»

Introduction

Attention! Ce livre, c'est du feu, le même que Jésus est venu jeter sur la terre. Vous risquez de vous brûler en le lisant, d'être dépaysé, ébranlé, retourné.

C'est l'histoire sainte de Georgette Faniel, «Mimi » pour les amis, née en 1915 et décédée à Montréal le 2 juillet 2002 à l'âge de 86 ans. Ça parle de locutions intérieures du Père et de stigmates invisibles du Fils, d'Alliance et d'anges, de Marie et de Medjugorje, de nostalgie de Dieu et de larmes, de nuit de la foi et de joie en l'Esprit Saint.

Une petite flamme

Tout cela semble bien extraordinaire, mais là n'est pas l'essentiel, tant Mimi ne recherche pas le sensationnalisme. Je ne l'ai jamais rencontrée, mais en lisant le manuscrit que les Pères Armand et Guy Girard m'ont envoyé pour avoir mon avis, j'ai senti que j'étais en présence d'une femme chaleureuse et équilibrée, sensible et vraie, simple et profonde, une femme très humble avec beaucoup d'humour, les deux allant souvent de pair. Sa vie spirituelle s'est déroulée dans un petit appartement de Montréal, d'où elle ne sortait presque pas, guidée par des prêtres fervents qui lui ont été envoyés par Dieu au bon moment. Celle qui signait ainsi ses lettres, «la petite servante de Dieu au service de l'Église et des âmes», se trouve à mille lieues des phénomènes paranormaux à la sauce hollywoodienne ou d'un discours ésotérique New Age.

Suzanne Dignard, fille spirituelle de Mimi, la décrit ainsi: «Mimi est une petite flamme au cœur de l'Église. Pas de grands discours, mais beaucoup d'amour.» N'y cherchons pas autre chose: une petite flamme d'amour, dirait le mystique Jean de la Croix, à la sainteté dansante d'une petite Thérèse, à l'humilité chantante du *Poverello* d'Assise. Mimi la musicienne s'est élevée au-dessus d'elle-même pour ne voir que Dieu, renonçant à ses propres notes pour devenir elle-même l'œuvre de la Trinité. Elle a tout misé sur un acte de foi total pour répondre avec confiance à la Volonté du Père sur elle: «Je fais le vœu de croire à tout ce que Dieu fait en moi, que je ne comprends pas, mais que j'accepte totalement! Par amour!» Tout dans sa vie, surtout la souffrance, se résume à cet amour qui «espère tout et endure tout[1]».

Dans la première partie du livre, les frères Girard évoquent l'itinéraire de Mimi en une quarantaine de thèmes, petits tableaux impressionnistes qui nous font entrer dans son aventure de foi et d'alliance avec la Trinité. Dieu a déposé son Amour dans ce cœur d'artiste dès l'enfance, l'inspirant d'une manière toute particulière pour être sa louange de gloire.

Chaque baptisé reçoit aussi cet Amour. Mais chez Mimi, c'est l'abondance, l'effusion, qui fait qu'elle ne parle pas à Dieu: elle cause avec lui. Elle est choisie, élue en toute gratuité par le Père, pour être configurée au Christ jusque dans son corps. Elle vit cachée pour mieux entendre le Bien-Aimé lui partager ses secrets. Elle veut sauver des âmes en s'identifiant totalement au Christ, prêtre et victime, pour la gloire du Père, s'offrant corps et âme, sang et larmes, pour renouveler le cœur des prêtres de l'Église, luttant contre des forces qui ne sont pas de ce monde.

---

[1] 1Cor 13,7.

Le combat spirituel est plus violent que le combat d'hommes, avait déjà dit Rimbaud. Âme profondément mariale, Mimi aime l'Église avec Marie et en Marie.

L'une de ses missions: mourir à elle-même pour devenir témoin de l'authenticité des apparitions de la Vierge à Medjugorje.

Le scandale de la Croix

L'expérience de la souffrance vécue par Mimi peut être mal comprise, paraître pour certains du masochisme, du dolorisme. Chez elle, il n'y a pas ce désir de souffrir davantage pour racheter beaucoup d'âmes. Elle n'aimait pas ce langage qui montre un Dieu désirant s'abreuver de la souffrance de Ses créatures pour les sauver. Rien de tel dans sa vie spirituelle basée sur l'amour, l'humilité, la prière, la confiance totale en la Trinité et Marie. Tout chez elle est liberté et docilité à l'Esprit Saint qui travaille dans son âme obéissante, sans trop chercher à comprendre, si ce n'est qu'avec l'aide de ses directeurs spirituels.

Pour elle, Jésus nous permet de l'aider à porter sa terrible Croix avec amour. Elle sait par grâce qu'Il veut partager sa Gloire et sa Joie en nous faisant participer à notre propre rédemption. Jésus agit en elle et cela lui suffit. Sa force d'accepter les souffrances physiques et morales, les tentations et les doutes, lui vient de sa foi en la présence réelle de Dieu en elle.

L'être humain s'est toujours interrogé sur le pourquoi de la douleur, de la souffrance, du mal, de la mort. Y a-t-il une réponse satisfaisante à cette question? Oui, et c'est un nom, une personne: Jésus.

Écoutons Son silence devant Pilate qui porte toutes nos questions, Son «J'ai soif » sur la Croix qui désaltère nos soifs, Son cri qui contient toutes nos blessures d'abandon: «Mon Dieu, mon Dieu, pourquoi m'as-tu abandonné?» Nul serviteur n'est plus grand que le maître. Le suivre, c'est emprunter Son Chemin de Croix qui conduit au matin de Pâques. Mais jusqu'où aller quand Dieu nous aime jusqu'à la fin? «Ayant aimé les siens qui étaient dans le monde, il les aima jusqu'au bout[2].» Comment lui ravir cette dernière place qu'Il a prise en mourant par Amour sur la Croix? Comment compléter dans notre chair ce qui manque à Sa Passion si la soif des âmes ne nous dévore pas?

Le Père a répondu en envoyant Son Fils. Il appelle des âmes à Le laisser exister pleinement en elles, tout en les laissant libres. L'Esprit Saint les forme en les assouplissant par Son onction d'Amour et de force. Le Christ ressuscité se choisit Lui-même des pauvres en esprit qui portent le monde dans la nuit de la foi, des petits qui sont en agonie avec Lui jusqu'à la fin du monde. Parmi eux, des stigmatisés comme François d'Assise, Padre Pio, Marthe Robin, que j'ai eu la grâce de rencontrer. Ces êtres de chair ne sont pas des extra-terrestres, mais des personnes limitées comme nous qui ont dit *oui* librement au Christ. Il n'y a aucun mérite de leur part, c'est par pur don de Son Amour que le Père Éternel les a choisis et les place sur notre route. Leurs vies données nous disent que Dieu, c'est l'Amour qui va jusqu'au bout de l'amour et du pardon.

Mimi se situe dans cette lignée des amis de l'Agneau qui vivent dans leur chair Sa Passion et veulent Le suivre jusqu'au bout. «Dieu ne regarde pas seulement nos faiblesses, nos péchés. Il regarde surtout notre amour, notre bonne volonté à Le suivre.» Mais plus elle désire répondre à la Miséricorde divine, plus elle découvre sa misère.

On le voit bien, c'est de la théologie vécue, celle des saints. Il y a plein de vie et d'Esprit Saint en ces victimes d'amour. Si la Croix a un tel prix aux yeux du Père, c'est qu'elle a porté le Corps du Fils de Dieu, nous rappelle Mimi.

Ces notions de victime, réparation, salut des âmes, expiation peuvent être mal comprises sans l'Amour du Sauveur qui n'a pas refusé de porter Sa Croix. Jésus ne s'est pas tenu à l'écart de la souffrance, par contre, Il ne force personne à Le suivre. Les stigmatisés, tout comme les personnes qui sont clouées à leur

---

[2] Jn 13,1.

lit et qui partagent la Passion du Christ par amour, ont reçu un appel particulier de Dieu.

À sa première homélie aux cardinaux après le conclave, le Pape François disait: «Quand nous cheminons sans la Croix, quand nous édifions sans la Croix et quand nous confessons un Christ sans la Croix, nous sommes mondains.» Mimi le dit autrement dans sa lettre du 15 juin 1990 au Père Janko Bubalo: «Comme notre petite sœur, sainte Thérèse de l'Enfant-Jésus, acceptons, avec foi, amour, confiance, ce don Royal de la Croix.

«Qui sommes-nous pour que Dieu daigne nous choisir pour nous associer, par la souffrance, à la Passion de Son Fils Jésus? Nous sommes si faibles, si indignes, mais la seule réponse à tout cela est l'Amour Miséricordieux du Père Éternel pour chacun de nous.»

Mimi confiait à un proche qu'elle avait la souffrance pour partage et la Croix pour amie. L'Eucharistie quotidienne l'aidait à tenir dans l'espérance, puisque Dieu est Amour. Elle savait par expérience que l'Amour du Christ absorbe tout, surtout l'épreuve, et Sa Résurrection se fraye un chemin à travers les croix, les blessures, les cassures par où sa lumière s'infiltre. C'est l'Amour qui tient Jésus sur la Croix, non les clous, dit sainte Catherine de Sienne. Le corps du Christ en Croix est la plus belle parole d'amour jamais dite.

La primauté de l'Amour

Ce n'est pas la souffrance qui sauve, mais l'amour. Mimi écrit: «Une croix acceptée par amour de Dieu devient légère, parce que l'amour est pur et puissant. C'est ce qui a fait la force des martyrs.» L'amour n'est pas un attribut de Dieu, il est Dieu. «La toute-puissance de Dieu est la toute-puissance de l'Amour. On dit parfois: Dieu peut tout! Non, Dieu ne peut pas tout. Dieu ne peut que ce que peut l'Amour[3].»

---

[3] François Varillon, *Joie de croire, joie de vivre.*

Dans ses lettres au poète franciscain croate Janko Bubalo, qui constituent la deuxième partie du livre, on voit une Mimi maîtresse de vie spirituelle, comme Thérèse de Lisieux l'était avec ses deux correspondants prêtres. Elle soutient le Père Janko, l'aide à offrir sa souffrance à Dieu, partage son désir de souffrir et de mourir avec Jésus. C'est une amoureuse qui parle. Pour nous, la souffrance est négative, comment peut-on offrir cela à Dieu?

C'est possible, nous dit Mimi, si nous y voyons la Croix que Jésus a demandé de porter. Elle répond au Père Janko qui lui demande quel est le but et le sens de ses souffrances: «La réponse est toujours l'amour de Dieu et des âmes. Si nous oublions que notre souffrance unie à Celle de Jésus est rédemptrice, que nous reste-t-il?»

Il y a une joie profonde à accomplir la Volonté de Dieu en portant notre croix, à accepter ce qu'il nous demande de faire sans se révolter. C'est impossible, écrit Mimi, sans une grâce spéciale de détachement, surtout de nous-mêmes, afin de mieux servir. C'est ce message de service que le Pape François a voulu montrer à son premier Jeudi Saint comme évêque de Rome en lavant les pieds à douze jeunes détenus, dont deux jeunes filles. Il a lancé à plus d'une centaine de jeunes détenus ce message d'espérance et d'humilité: «Ne vous laissez pas voler l'espérance! Compris? Avec l'espérance, allez de l'avant! Je suis venu ici avec tout mon cœur.»

Si les choses du cœur ne s'expliquent pas, la souffrance non plus. Alors on interroge Dieu avec nos pauvres mots: est-ce bien lui qui envoie les épreuves, qui permet telles tentation et maladie, qui donne plus de souffrance à ses amis? Bref, peut-on offrir sa souffrance?

Au fond, c'est une question de langage, même si nous ne parlons pas le même que Dieu. Il nous demande parfois de tout sacrifier, comme Abraham son Isaac. Personnellement, j'aime mieux offrir à Dieu ce que je deviens par la souffrance. C'est notre vie qui intéresse le Père.

Le Christ en Croix ne dit pas: Père, je remets ma souffrance entre tes mains, mais plutôt mon esprit, ma vie, entre tes mains. Alors on peut tout souffrir par amour. L'amour de Dieu n'est pas un mystère, écrit Mimi au Père Janko: «C'est beaucoup plus simple. C'est l'Amour d'un Père pour Ses enfants. C'est l'Amour de l'Esprit Saint pour les âmes. C'est l'Amour d'une Mère pour nous.»

Alors, pourquoi souffrir? Terrible question qui tourmente l'humanité depuis des millénaires et qui touche au mystère de la Croix, puissance et sagesse de Dieu, source de salut et de grâce pour saint Paul: «Alors que les Juifs réclament les signes du Messie, et que le monde grec recherche une sagesse, nous, nous proclamons un Messie crucifié, scandale pour les Juifs, folie pour les peuples païens[4].»

Le Père n'a pas abandonné Son Fils à la mort, Il L'a ressuscité le troisième jour. Jésus, par Ses paroles et Ses gestes de pardon, révèle un Dieu d'Amour et d'alliance qui souffre et pleure avec nous. Quand Dieu va jusqu'au bout de l'Amour, Il donne tout: Son Fils. À ce moment-là, la souffrance n'est plus un obstacle, elle est une porte ouverte sur l'Amour et la joie, une porte en forme de Croix. Paradoxe du christianisme d'unir ainsi Croix et joie, à la condition de s'identifier au Christ.

Qui peut comprendre un tel mystère? «C'est seulement avec l'humilité de Marie, le pouvoir de la grâce, que nous pouvons saisir un peu le sens des épreuves et la valeur de la Croix.»

Le 5 août 1989, Mimi essaie de faire comprendre au Père Janko, qui vit comme elle une nuit de la foi et de grandes douleurs physiques, toute la valeur de la souffrance. Elle considère la souffrance et la Croix comme des cadeaux que Dieu réserve à ses amis.

Elle écrit: «Avec une souffrance acceptée par amour, unie à la Passion de Jésus, et aux douleurs de Marie, nous pouvons expier nos péchés, coopérer avec Jésus au salut du monde et mériter.»

Dieu n'envoie pas des croix, Il les porte avec nous. Pour cela, Mimi insiste sur la liberté: «Être libre, dans notre cœur, notre esprit, dans notre

---

[4] 1Cor 1,23.

amour, pour pouvoir donner la première place à ce Dieu d'Amour, qui nous aime d'un Amour infini.»

En prenant connaissance de l'intense correspondance entre Georgette Faniel et Janko Bubalo, je ne peux m'empêcher de penser qu'ils ont vécu avec Jésus le Psaume 21. Ils ressentent avec lui l'abandon du Père, le pourquoi de la Croix, même s'ils ont été choisis dès avant la naissance: «Dès le ventre de ma mère, tu es mon Dieu[5].» (Psaume 21, 11). Ils se disent tous les deux en enfer, luttent contre le Malin, se demandent même si Dieu existe, s'ils ont encore la foi, à l'instar de la petite Thérèse, de mère Teresa et de tant d'autres mystiques de la nuit. Ils s'accrochent à leur foi éprouvée, au noyau de la Bonne Nouvelle: la mort et la Résurrection du Christ. C'est ce Christ vivant qui leur fait vivre Sa Pâque pour faire d'eux des vivants éternellement.

Faire vivre Dieu

Maurice Zundel écrivait qu'à chacun revient «le choix terrible de faire vivre Dieu, l'Amour, ou de l'éteindre.»

Mimi l'a fait vivre ce Dieu d'Amour présent dans son sanctuaire intérieur. Elle ne l'a pas éteint en elle, au contraire, elle est devenue brasier en l'allumant dans les âmes, en les aimant comme le Christ, jusqu'au bout. Je pense à Etty Hillesum, juive d'Amsterdam morte en novembre 1943 à Auschwitz à l'âge de vingt-neuf ans. Elle écrivait dans son *Journal*: «Je vais t'aider, mon Dieu, à ne pas t'éteindre en moi.» Mimi et Etty, le ciel vivait en elles, l'amour les réunit. Mimi aurait pu écrire ces mots à la fin du *Journal* de Etty: «On voudrait être un baume versé sur tant de plaies.»

C'est en donnant sa vie qu'on la trouve. La Croix vient avec ce don, comme pour le purifier en l'associant à l'offrande du Christ. Mimi a vécu ce don sur la Croix, ne dissociant jamais souffrance et amour, offrande et

---

[5] Ps 21, 11.

Jésus. Dans une saine théologie, elle montre que la Croix n'est rédemptrice qu'avec le sacrifice de Jésus. Notre propre immolation sera celle de Jésus si nous acceptons et unissons notre souffrance à Sa croix. C'est lui qui, en touchant notre souffrance par Ses plaies glorieuses, donne à celle-ci sa puissance rédemptrice.

Silencieuse et recluse dans son petit appartement de Montréal, Mimi reçoit des gens d'horizons divers qui la consultent et qui repartent avec la paix intérieure. Elle s'est consumée d'amour pour faire vivre Dieu dans les âmes. Il l'a appelée très jeune, elle a répondu toute sa vie, même s'Il s'est souvent tu lorsqu'elle criait vers Lui de désespoir.

En travail d'enfantement, seule avec le Seul dans la nuit de Gethsémani, elle s'est laissée façonner par le Christ pour devenir douce et humble comme Lui, s'abaissant jusqu'au néant, jusqu'à la mort de la Croix. La petite flamme s'est reposée dans l'unique oblation du Christ pour le salut des âmes. La lumière ne s'est pas éteinte pour autant, ni la chaleur n'a perdu son intensité. Tout est consommé, l'amour a gagné.

La vie de Mimi est un long Vendredi Saint éclairé des lueurs de Pâques, une nuit que l'Invisible a parsemé d'étoiles. C'est l'expérience de la souffrance assumée dans l'amour à l'ombre de Marie. Le labeur de la Croix a creusé des sillons dans sa chair pour des pousses de vie éternelle. Dieu seul connaît la moisson. Petite servante de Jésus, elle a immolé son Isaac, sa volonté, pour l'offrir en holocauste d'amour. Son souffle ténu est retourné à la Source qu'elle entendait murmurer en elle, la voix ferme du Père, brûlante comme une flamme de l'Esprit Saint.

Du feu, je vous disais au début de cette introduction, jusqu'à sa dernière parole, bue à la coupe du Sang de la nouvelle alliance, parole mûrie dans le silence du cœur ouvert, dernier cadeau à son directeur spirituel: «Oui, tu m'as conduite jusqu'à la Croix et je t'en remercie.»

Triduum pascal 2013

Jacques Gauthier
poète et théologien

Un livre à quatre mains

Guy et Armand Girard sont nés dans un petit village, nommé Compton, à environ 150 kilomètres de Montréal dans une famille d'agriculteurs. À leur naissance, le 5 avril 1936, il y avait eu des complications et le médecin craignait non seulement pour leur vie, mais aussi pour la vie de leur mère. La famille comptait six enfants, une fille et cinq garçons, dont trois prêtres.

Le deuxième de la famille devint prêtre séculier, les derniers, Pères Guy et Armand après les études scientifiques terminales, changèrent d'orientation pour faire des études classiques dans un collège pour vocations d'adultes. Les frères jumeaux ont rejoint la Société Missionnaire des Saints-Apôtres[6] et ont été ordonnés prêtre le 16 mai 1964 à Montréal, après avoir terminé leur maîtrise en théologie. Armand a poursuivi des études en science familiale à l'Université de Louvain. Guy de son côté obtenait une maîtrise en andragogie à l'Université de Montréal.

---

[6] La société des M.S.A., résultat de l'union de la Société des Saints-Apôtres avec la Société des Missionnaires des Saints Apôtres, fondée en 1962; toutes deux ont été fondées par le Père Eusèbe-Henri Ménard, o.f.m, à Montréal. Leur spiritualité est centrée sur l'Eucharistie, le Sacerdoce et la Parole de Dieu, avec pour modèles et patrons les Apôtres et la Vierge Marie. Leur devise *Unis dans le Seigneur Jésus* témoigne que tous les humains sont appelés à être des enfants du même Père.

Ils ont presque toujours travaillé ensemble en tant que prédicateurs, puis dans la pastorale en milieu scolaire, et comme aumôniers dans les hôpitaux. Après plusieurs visites à Medjugorje, ils ont publié trois livres, "Marie, Reine de la paix, demeure avec nous," "Marie, Reine de la Paix, Espoir du monde" et "Medjugorje, terre bénie", ce dernier traduit en croate.

Leurs ouvrages sont également traduits en anglais, espagnol, allemand et polonais.

Ils ne se considèrent pas comme des écrivains, mais simplement comme des témoins d'événements dont ils souhaitaient rendre compte pour le bien de l'Église et de l'humanité, en se soumettant toujours humblement à la Volonté de Dieu. Père Armand étant directeur spirituel et confesseur de Mimi se devait à une totale discrétion. Père Guy, conseiller spirituel, lisait attentivement les notes spirituelles et en causait avec Mimi.

Ils ont entendu parler de Medjugorje pour la première fois à travers la publication d'un article qui racontait la nouvelle des apparitions de la Vierge Marie dans un petit village d'Herzégovine. À la même époque, ils ont entendu à Radio Canada mon entrevue à propos des événements de Medjugorje. Ils ont réussi à me joindre par le biais de la paroisse croate de Montréal. Ils m'ont invitée à visiter leur mère spirituelle, Georgette Faniel, Mimi, qui, dans la prière, prononçait des mots et des noms en croate qu'ils ne comprenaient pas.

En 1984, revenant de Medjugorje, ils s'interrogeaient sur le lien entre Montréal et les événements de Medjugorje, quand Mimi leur répéta ce que Jésus lui avait dit: «Pourquoi t'aurais-je inspiré d'offrir ta vie pour témoigner de l'authenticité des apparitions de la Vierge à Medjugorje?» Cette réponse donnée par le Père Éternel leur rappela l'offrande totale de Mimi faite durant la Semaine Sainte.

Dans l'intention d'informer le Père Ljudevit Rupcic [7] de tout ce que vivait Georgette Faniel en lien avec Medjugorje, les Pères Girard mettaient tout par écrit. Je leur ai conseillé d'en faire parvenir également une copie au père Janko Bubalo qui s'est vivement intéressé à la vie de Georgette Faniel et aux travaux des frères Girard. C'est ainsi qu'est née l'amitié entre les Pères Girard, le Père Janko et Mimi.

Dix ans après la mort de Georgette, alors qu'ils avaient classé ses nombreux écrits, ils ont découvert les lettres de sa correspondance avec le père Janko Bubalo. Alors qu'ils se demandaient pourquoi ils découvraient ce trésor spirituel si tard, ils se sont souvenus que Mimi disait souvent qu'il fallait toujours attendre le moment que Dieu avait choisi.

La Providence est toujours étonnante. Ces vingt années (1982-2002) parcourues aux côtés de Mimi ont été un chemin de vie et de croissance entremêlé de peine et de joie. Un autre chemin, celui de la purification apparaissait avec ses nuits et ses lumières, ses abîmes et ses hauteurs! Tout devint louanges et actions de grâce à Dieu, pour ses dons reçus en abondance, par pure gratuité. Leurs témoignages et la correspondance entre Mimi et le Père Janko témoignent pleinement des effets de l'Amour de Dieu en leur vie.

Daria Klanac[8]

---

[7] Auteur de la première traduction du Nouveau Testament en langue croate, Ljudevit Rupcic (né en 1920) est un des plus grands théologien de son pays, exégète de la théologie franciscaine, conférencier international, auteur de nombreux livres, études et articles publiés en croate, anglais, allemand et italien. Son dernier livre *Destin de Vérité* vient de sortir de presse, en croate.

[8] Daria Klanac est auteur de nombreux livres notamment sur Medjugorje. Citons: *Aux sources de Medjugorje – Medjugorje: Réponses aux objections – Comprendre Medjugorje*. Elle a par ailleurs accompagnée plus de 100 fois des groupes à Medjugorje.

Mosaïque de la vie de Mimi

6 Février 1964

Mon Bien-Aimé, au moment de Notre union parfaite, accorde-moi la grâce, si c'est la Sainte Volonté de Notre Père, que je n'aie rien pour me distraire, pas trop de témoins oculaires; éloigne de moi mon ennemi.

Mon Bien-Aimé, je tiens à Te dire aujourd'hui que si je suis inconsciente durant les derniers instants de ma vie, dis-Toi bien que je T'aime, que je Te remercie de m'avoir aimée jusqu'au don total. Intercède pour moi, présente-moi à Notre Père.

Si ma bouche ne peut pas parler, écoute les battements de mon petit cœur comme si c'était des actes d'amour parfait, de remerciement, de contrition.

Si mes yeux se ferment, ouvre-les à la lumière céleste.

Si ma petite tête devient alourdie, place-la près de Ton Divin Cœur.

Si je ne peux respirer librement, aide-moi, s'il vous plaît, du souffle de l'Esprit Saint et de Ta grâce. Que Ton souffle divin me donne la vie éternelle.

Si mes membres ne peuvent plus bouger, au nom de Notre Amour, place-les bien sur Notre Croix où Tu m'as déjà fixée. Garde mon corps comme un temple de l'Esprit Saint.

Dès maintenant, je remets ma petite âme entre Tes bras puissants. Par Ton Sang Précieux, purifie-la, détache-moi de tout, de moi-même. Avec Ta grâce, j'espère, je crois en Ta Miséricorde infinie pour moi.

Marie, Mère de Jésus, ma Mère, garde-moi dans Tes bras, pour m'offrir au Père Éternel pour toujours. Amen.

Georgette Faniel

Prière du don total

Père Éternel, mon Dieu et mon Tout, c'est avec toute la sincérité et la conviction dont je suis capable que je renouvelle aujourd'hui l'offrande totale de tout mon être.

Je m'abandonne entièrement entre Vos mains. Faites de moi ce que vous voudrez.

Fixez-moi définitivement sur la croix avec Votre Divin Fils, mon Bien-Aimé. J'accepte, même je demande toutes les souffrances physiques, morales et spirituelles, que dans Votre Sagesse infinie, il Vous plaira de m'envoyer, afin d'être plus près de mon Bien-Aimé pour le consoler, expier, mériter et sauver des âmes, beaucoup d'âmes qui Vous glorifieront pendant toute l'éternité.

Et merci, mon Dieu, du fond du cœur pour toutes les souffrances que je reconnais être d'insignes faveurs de Votre infinie Bonté, que Vous m'avez envoyées dans le passé. J'accepte, dès maintenant toutes celles que Vous me réservez pour l'avenir, que je recevrai toujours comme de grandes faveurs de Votre paternelle Bonté, à Son enfant le (la) plus misérable, mais sincère, aimant (e) et confiant (e).

Tout ce que je vous demande c'est Votre amour, Votre secours et la grâce de mourir mille fois plutôt que de Vous perdre par le péché.

Je Vous remercie de me faire comprendre toutes ces vérités et d'aimer la Croix en union avec Votre Divin Fils pour Votre plus grande gloire et le salut des âmes.

Ô mon Dieu, avec Votre Divin Fils, mon Bien-Aimé, par les mains de Marie Immaculée, je remets dès maintenant mon âme entre Vos mains. Recevez le Don Total de tout amour. Tout est consommé par l'amour. Amen.

Avec la permission de l'Ordinaire   Montréal, le 14 octobre 1981

Première rencontre

Il y a des événements dans la vie que l'on ne contrôle pas. Aujourd'hui, je me demande s'il y a des événements que l'on contrôle! Je ne crois pas au hasard. Il m'apparaît que Dieu, tout en respectant notre liberté, nous conduit et heureusement! On appelle cela Providence.

En 1978, je me rends à un groupe de prière. Une famille nous demande de venir prier pour les retraitants qui terminaient une session de réflexion. La prière terminée, on échange. Quelqu'un me parle d'une dame résidant à Montréal, qu'on appelle Mimi, une grande croyante. On insiste afin que je les accompagne auprès d'elle. L'enthousiasme n'y est pas, mais j'accepte pour faire plaisir! Je précise: «Je suis prêtre, ne lui en parlez pas.»

Le Père François parque sa voiture devant la résidence, rue Bordeaux à Montréal et nous montons au troisième étage. Il nous faut grimper les marche en file indienne tellement l'escalier est étroit. Mimi nous dit de bien tenir la rampe et elle nous accueille avec un grand sourire.

Après des souhaits de bienvenue, on passe au salon. Je me demande pourquoi personne ne parle et comprends alors que personne ne connaît Mimi! Le Père François lui dit: «On vient vous rencontrer, des gens nous ont parlé de vous.»

Mimi sourit et répond: «Voulez-vous qu'on échange en groupe ou me rencontrer individuellement?» Le Père François répond qu'il aimerait la rencontrer seul. Et Mimi nous rencontre seul à seul dans une chambre d'enfant où se trouve une table avec une statue de la Vierge et, au-dessus, un crucifix.

Il est maintenant 16 heures. Tous ont rencontré Mimi et semblent très heureux. Il ne reste que moi! Je lui dis: «Je reviendrai, il nous faut partir afin d'éviter la circulation. Vous êtes fatiguée et je ne veux pas vous en demander davantage.» Elle me regarde: «Vous savez, je peux faire une courte prière.» J'accepte.

Dans son lieu de recueillement, elle fait une prière. Agenouillé, je dis au Seigneur Jésus et à Marie: «Je ne comprends pas ce qui se passe, mais Vous, Vous comprenez.» Je ne me souviens pas de la prière et du contenu…

Je me relève, je suis debout face à elle. Elle me dit: «Vous êtes prêtre.» Elle se tait et reprend: «Vous savez, quand vous étiez dans l'escalier, le Seigneur m'a dit: «Celui qui a un veston brun est prêtre.» Vous avez été ordonné le 16 mai 1964[9]. Ce jour-là, le Père Éternel m'a demandé de vous adopter comme fils spirituels, vous et votre frère jumeau, et de vous soutenir par ma prière. Vous avez été ordonné à Montréal, dans l'est de la ville et vous étiez sept futurs prêtres.»

C'était exact et je ne savais que dire. Comment pouvait-elle savoir cela? Personne dans le groupe n'avait cette information. Je retournai à Sherbrooke avec ce secret que je méditais dans mon cœur.

Je n'en glissai mot à personne, sauf à Armand, mon frère jumeau.

Les années passent. Quatre ans plus tard, le 20 juin 1982, le Père Armand et moi sommes au stade olympique de Montréal pour la béatification du

---

[9] NDE: L'épisode se déroule en 1978. Mimi a donc prié pour les pères Girard pendant 14 ans, attendant patiemment que le Seigneur organise cette rencontre.

Frère André[10]. La fête liturgique est magnifique et, dans l'élan, je demande à mon frère Armand s'il veut venir rencontrer Mimi. Mais, fatigué, il préfère la rencontrer une autre fois. Je propose de l'appeler. Elle me répond et demande à parler à mon frère. Aussitôt, Armand décide de la rencontrer. Une grande joie l'attendait. Ce 20 juin 1982 devint une date mémorable pour lui et pour moi, car ce fut la première vraie rencontre avec Mimi.

Une première rencontre qui n'allait pas être la dernière! Suivra un accompagnement de vint ans où presque tous les jours, on célèbrera la Sainte Messe chez Mimi, jusqu'à sa mort le 2 juillet 2002.

Ce sera un chemin imprévisible, comblé de grâces, de souffrances, d'événements et de faits de toutes sortes. Ce 20 juin 1982, nous avions fait la connaissance d'une grande dame qui humblement a parcouru un chemin hors du commun. Un chemin qui a débuté vers l'âge de six ans avec un dialogue avec Dieu. Un chemin qui va la conduire à vivre des joies et des purifications inimaginables.

Et nous étions appelés à faire route avec elle, jusqu'au bout de sa vie.

Père Guy Girard m.s.a

---

[10] Religieux canadien-français, du Québec, membre de la Congrégation de Sainte-Croix, Frère André Bessette (1845-1937), à qui sont attribuées de nombreuses guérisons miraculeuses, est déclaré vénérable en 1978 par Paul VI, béatifié le 23 mai 1982 par Jean-Paul II et canonisé en octobre 2010 par Benoît XVI. À Montréal, il a fait construire une imposante basilique dédiée à saint Joseph, l'Oratoire Saint-Joseph, où viennent se recueillir près de deux millions de visiteurs par année.

Locutions intérieures

Dans ses notes spirituelles, Mimi signale qu'elle reçut les premières grâces vers l'âge de six ans. «J'ai commencé à entendre la voix de Jésus dans mon cœur. Je croyais que ce dialogue constant avec Jésus se passait ainsi pour tous les enfants.» Elle n'en parle pas. Elle ne pose aucune question à ses parents. C'est l'attitude des autres enfants qui lui permettra de comprendre que cela lui est unique.

Dès lors, elle garde le silence sur ses locutions, elle se referme sur elle-même. «J'avais peur qu'on se moque de moi.» De plus son âme d'enfant est souvent angoissée.

Satan imitant la voix de ses interlocuteurs célestes lui dit qu'elle est damnée, qu'elle a fait une mauvaise confession, qu'elle a commis un sacrilège! Elle pleure souvent à la pensée d'avoir perdu son Bien-Aimé Jésus et son lien filial avec la très Sainte Vierge Marie.

En plus d'entendre la voix de Jésus et de Marie, elle entend la voix du Père et de l'Esprit-Saint. Ces voix sont perceptibles au plus profond de son cœur et à l'oreille. Les Personnes divines et Marie communiquent avec Mimi par des expressions et des mots différents pour chacune d'elle.

Le Père Éternel parle avec plus d'autorité, mais aussi avec un grand Amour et une grande Miséricorde. «Sa voix est plus grave, dit-elle. Je sens dans mon cœur une crainte révérencielle mais amoureuse qui m'envahit, comme un Père parle à son enfant.»

Jésus s'adresse à elle dans un langage plus personnel. Il l'appelle: ma Bien-Aimée, ma petite épouse, ma petite victime d'Amour. C'est un langage de douceur et s'Il fait des reproches, en même temps Il console de la peine.

L'Esprit Saint l'aide surtout en donnant une conviction intérieure qui lui permet de diriger sa vie, de prendre les bonnes décisions. Il l'assiste en tout, même dans les tâches matérielles.

Marie lui parle avec la tendresse et l'amour d'une mère; Elle aime, console, soutient. Elle est pour Mimi un refuge assuré dans les tempêtes de la vie spirituelle.

Si Mimi distingue les trois personnes de la Trinité; elle dit: «Je les saisis avec évidence, mais je n'ai pas les mots pour l'expliquer et j'ai aussi une certitude intérieure qu'Elles ne forment qu'un seul Dieu.»

Durant sa vie entière, malgré toutes les épreuves, Mimi va se réfugier dans le cœur de cette Mère du Ciel qu'elle aime tant. Combien de pleurs en secret! Combien de larmes! La souffrance entre dans sa vie et elle y sera jusqu'au don total d'elle-même. Une immense Croix sur ses épaules va prendre toutes les dimensions.

Qui voulait cette souffrance? D'où venait-elle? Que faire? C'est dans la prière qu'elle supplie Dieu le Père Éternel de lui venir en aide. Elle supplie Marie l'Immaculée de la soutenir. Sa prière devient un cri; comme le cri du Fils en Croix: «Mon Dieu, Mon Dieu, pourquoi m'as-tu abandonné?»

En février 1953, elle rencontre le nouveau vicaire à la paroisse de l'Immaculée Conception à Montréal, le Père Joseph Gamache. De retour de mission, ce jésuite avait dit à la mère de Mimi, dont il était alors directeur spirituel, que son enfant était une petite sainte. Il dirigera spirituellement Mimi pendant 19 ans.

Ces locutions intérieures ne cesseront jamais. Cette longue vie d'intimité avec Dieu fut toujours cachée aux regards humains. «Elle ne parle pas à Dieu, elle cause avec Lui!», dira le poète et théologien Jacques Gauthier. Ce qui est très différent!

Dans ses notes spirituelles, qu'elle écrit par obéissance, nous apprenons qu'un jour le Père Éternel lui a dit: «Comme Mon Fils, tu auras une vie publique.» Mais en ce temps, elle n'en comprend pas la signification, ni comment cela pourrait se réaliser.

En réponse à la question concernant les locutions intérieures ou auditives, à savoir si d'autres personnes peuvent avoir ce même dialogue, Mimi répond positivement: «Il nous faut être attentifs aux inspirations de la grâce dans la prière, dans le silence, en demandant à la Vierge Marie de nous conduire vers le Père avec Jésus.»

Ne jamais chercher le merveilleux! C'est dans la simplicité du cœur, de l'âme et de l'Esprit que Dieu Se manifeste. Savoir attendre! Dieu ne rejette jamais une prière. Il a son heure.

Oui : «Elle ne parle pas à Dieu, elle cause avec Lui.»

Père Guy Girard m.s.a

Mort apparente

Mimi m'a plus d'une fois raconté cet épisode de sa vie, car elle avait été vraiment marquée par cette épreuve hors du commun.

«Je suis à l'âge de huit ans, très malade, le cœur, les poumons. Maman demande le prêtre pour me donner l'onction des malades. Après le Père Fontaine dit à maman: «Ce qui me fait le plus de peine, c'est que la petite ne me reconnaît plus.» Dans la nuit, maman a une crise de paralysie et elle est emmenée à l'hôpital Notre-Dame. Le Père Fontaine vient me voir à la maison le lendemain, mais il n'y avait aucun changement de mon état. Le médecin décide alors de m'envoyer à l'hôpital Sainte-Justine. Je suis placée dans la même chambre que ma grande sœur Marcelle et mon petit frère Georges. Pauvre papa, son épouse à l'hôpital, trois autres enfants à l'hôpital, dont moi qui suis mourante.»

C'est la nuit du 19 mars, fête de saint Joseph. La voisine d'Alfred Faniel reçoit un téléphone de l'hôpital: on demande au papa de Mimi d'apporter une petite robe blanche… C'est pour mettre après le décès de la petite… La voisine lui donne une robe blanche que sa propre petite fille a portée pour sa première communion.

Mimi continue dans son écrit: *Autopsie de mon âme*[11]: «J'étais sur une civière, un drap blanc couvre tout mon corps et ma tête. Quelle épreuve pour mon cher papa! Il soulève le drap, baise mon front et il pleure en disant à saint Joseph: «Je ne vous ai pas demandé de venir chercher ma petite fille, je vous ai demandé de la guérir!»

«Dans le grand silence de la nuit, à trois heures du matin, il entend un bruit de pas. À sa grande surprise, il reconnaît le docteur Moreau. «Qu'est-ce que vous faites ici à cette heure?», car le docteur Moreau était âgé de 89 ans et ne pratiquait plus la médecine depuis l'âge de 70 ans. Le docteur Moreau de répondre: «J'ai eu un appel urgent! Et toi qu'est-ce que tu fais ici?» Papa lui dit: «J'ai été appelé pour venir voir ma fille... elle est là. «

«Le docteur Moreau soulève le drap qui me recouvre. Pendant quelques instants il appuie son oreille sur ma poitrine et il dit à papa: «Ce n'est pas fini, je crois entendre un petit souffle de vie. « Il me fait revenir dans la chambre et le massage commence rapidement. Je reprends vie tout en demeurant dans le coma.

«Papa décide de se rendre à l'Oratoire Saint-Joseph. À son arrivée, le frère André[12] est là et il demande à papa ce qu'il avait. Papa lui raconte tout. Le frère André lui dit que cette enfant sera privilégiée de saint Joseph. Papa prie et assiste à la Messe. Il communie et me recommande à saint Joseph. Pendant ce temps, je suis à l'hôpital Sainte-Justine et je reprends conscience. Je passe un long mois à l'hôpital avant de retourner à la maison.

Pendant tout ce temps, maman était hospitalisée à Notre-Dame et elle y demeurera des mois, ignorant ce qui m'était arrivé.»

Père Armand Girard m.s.a

---

[11] Ses notes spirituelles.
[12] Saint André Bessette. Voir p. 25.

Sauvée de la noyade

Mimi a été souvent protégée par des interventions divines pendant sa vie. À l'âge de 17 ans, elle a la charge d'une colonie de vacances pour jeunes filles. La maison peut abriter deux cents personnes. Cela comprend le personnel, les pensionnaires et les fillettes de cinq à quinze ans dont elle a la responsabilité. Elle n'a pas de salaire, mais elle est nourrie et logée.

Elle raconte avec beaucoup d'humour cette étape de sa vie. «Pour nourriture, il y avait de la soupe avec de la mélasse, du fromage, parfois des tomates et l'éternel pâté chinois[13]. Cela provoquait dans le dortoir un bombardement au gaz naturel.»

Elle continue son récit: «Ce n'est pas facile d'appeler les fillettes pour la prière, car les grandes filles de douze à quinze ans se cachent dans le bois ou dans les cabines pour ne pas assister à la Messe et aux prières. Je leur faisais dire le Chapelet et réciter l'acte de contrition avant le bain dans le fleuve Saint-Laurent. Puis un jour, les grandes filles me demandent:

---

[13] Le pâté chinois est un mets lié à l'histoire du Canada et plus particulièrement du Québec. Bœuf haché, maïs, pomme de terre en purée, superposés dans cet ordre, sont les trois principaux ingrédients du pâté chinois. Le plat est cuit au four.

«Mlle, nous ne pouvons pas plonger, ce n'est pas assez profond, voulez-vous vérifier?» Je me rends et j'avance au large du fleuve, je plonge et me voilà tombée dans un remous. Je tourne comme une toupie... Je lève les mains pour que l'on vienne me secourir, mais les jeunes filles croient que je veux rester plus longtemps dans l'eau et je les entends compter Un, Deux, TROIS, QUATRE, jusqu'à DIX. Pendant ce temps, je suis sous l'eau, ne pouvant remonter à la surface.

«Alors, je lance un cri à la Sainte Vierge: «Maman, Maman Marie, viens à mon secours, aidez-moi s.v.p.» Au même moment, j'ai senti deux mains me tenir par la taille et me soulever. Je reprends mon souffle, pour continuer à nager vers la grève. Arrivée sur la grève, l'on me dit: «Vous êtes restée le plus longtemps sous l'eau! Vous avez gagné le record!» Je n'ai pas dit aux enfants ce qui s'était passé, car je ne voulais pas leur faire peur. La directrice était à Montréal pour une semaine et j'avais la responsabilité de la colonie. Heureusement que Dieu était avec moi et Marie présente. Aujourd'hui je constate la grande protection du Ciel.»

Cette protection se renouvellera par d'autres interventions qui feront voir la tendresse de Dieu envers celle qui Le découvrait un peu plus chaque jour.

Père Armand Girard m.s.a

Des anges et des chiens

La vie de Mimi abonde de faits étonnants et d'interventions divines qui nous indiquent l'humour de Dieu dans nos cheminements humains. Je dois avouer que je souris de voir avec quelle joie elle nous raconte les «clins d'œil» de Dieu!

Elle écrit: «Je devais sortir pour aller acheter de la nourriture. Maman me dit: «Je suis inquiète de te voir sortir, tu n'es pas forte, tu sais.» – «Prie pour moi! Ce ne sera pas long!» En descendant l'escalier, il y avait un gros chien couché sur la première marche. Il se lève, me regarde. Je le regarde et lui dis: «Comme tu es beau! Tes yeux et ton regard sont si impressionnants. Non ce n'est pas possible d'avoir de si beaux yeux et d'être un chien...»

«Il semble comprendre ce que je lui dis. Il s'approche de moi et me lèche la main. Je continue mon chemin, il marche à mes côtés. Rendue à la rue Marie-Anne, je dois la traverser et voilà qu'un gros camion se dirige vers moi. Le chien se place devant moi; il est frappé et blessé.

«Revenue de mes émotions, je cherche le chien, il marchait en boîtant. Il était loin. Je continue à marcher pour me rendre au magasin et quelle ne fut pas ma surprise, en sortant du magasin, de voir le chien qui est là. Je le caresse en lui disant merci, puis il m'accompagne jusqu'à la maison. Je lui dis: «Attends-moi, je vais aller te chercher un peu de viande pour te récompenser.»

«Arrivée dans le salon, maman me dit: «Que tu es pâle! Qu'est-ce que tu as?» Je lui raconte ce qui s'est passé, elle pleurait en sanglots. Je la prends dans mes bras... «Ne pleure pas maman, je n'ai rien, je ne suis pas blessée. C'est le chien qui m'a protégée!» Maman me dit: «Non Mimi! C'est parce que j'avais demandé à Dieu de te protéger en envoyant un ange!»

«Un ange... C'est pour cela que je trouvais qu'il avait de si beaux yeux pour un chien!»

À une autre occasion, Mimi nous raconte: «Je voulais faire un pèlerinage à pied à l'Oratoire Saint-Joseph. Au lieu de marcher dans la rue, je décide de prendre un raccourci en marchant à travers la montagne, tout en priant. Il n'y avait presque pas de maisons. Après une demi-heure de marche, je n'avais rencontré personne pour me distraire durant mon pèlerinage.

«Voici qu'une automobile arrive à toute vitesse; deux hommes descendent pour me faire entrer de force dans l'automobile. Je ne voulais pas et j'avais peur. Au même moment, un gros chien arrive et saute sur un des deux hommes... Il l'a mordu et l'autre a eu si peur qu'ils m'ont laissée partir. Encore une fois, merci mon Dieu, merci mon bon ange, merci mon chien.

«Ce n'était pas le même chien qui m'avait protégée, car je le regardais dans les yeux. Son regard était d'une grande bonté, malgré sa grosseur imposante. De loin il paraissait un ours! Il était tout noir. Encore Merci Mon Dieu.»

Celle qui vit l'événement n'a pas besoin de croire, elle sait qu'elle dit vrai!

Les anges sont d'étonnants personnages!

Père Armand Girard m.s.a

Directeurs de conscience

Directeur de conscience: l'expression peut faire réagir aujourd'hui, mais cela revenait à dire directeur spirituel'. C'était comme cela à l'époque et ce terme ne choquait personne.

Étudiant au séminaire, on se choisissait un directeur de conscience. Il nous aidait à regarder dans nos vies et à discerner ce qui pouvait nous conduire à mieux vivre notre engagement humain et chrétien.

Ainsi, Mimi eut plusieurs directeurs spirituels. Pour elle, ces prêtres se présentèrent de façon tout à fait providentielle. Chacun d'eux arrivait dans sa vie au bon moment. Dieu veillait sur elle avec beaucoup d'attention.

Le Père Joseph Gamache était directeur spirituel de la mère de Mimi. Il était un ami de la famille et aida chacun d'eux. Il découvre peu à peu celle que l'on surnomme Mimi. Il voit que cette enfant est privilégiée et qu'elle se retire pour prier en secret! À sa mère qui lui demande des renseignements sur sa fille, le Père Gamache répond: «Si vous ne connaissez pas votre fille sur la terre, vous la connaîtrez au Ciel. C'est une petite sainte... Mais ne lui dites pas!» Ce prêtre est très exigeant pour lui-même, mais également pour les autres. Il part en mission et reviendra beaucoup plus tard dans la vie de Mimi.

Mimi grandit et participe aux activités paroissiales. Elle rencontre le directeur de la chorale, le Père Fontaine qui lui servira de guide pendant son adolescence.

Plus tard, alors qu'elle est monitrice dans un camp de vacances pour jeunes filles, elle rencontre l'aumônier responsable, l'abbé Blaise Émile Pleau. Celui-ci la remarque pour sa maturité et son dévouement. Un jour, il lui dit: «J'ai à te parle; il y a quelque chose chez toi! Tu souris et parfois tu as des larmes dans les yeux.» Elle lui répond: «Je n'ai rien à dire.» Et lui d'ajouter: «Tu n'as rien à dire, mais beaucoup à porter! Si tu as besoin d'aide, je suis là.» Il découvrait qu'elle avait une âme exceptionnelle. Il la dirigea pendant près de dix ans, soit à la colonie de vacances, soit quand elle allait le rencontrer à la prison des femmes où il était aumônier.

Près de dix années passent. Arrive l'abbé Paul Godin, un jeune prêtre dont la réputation d'homme de Dieu et de prière ne laisse aucun doute et sa spiritualité correspond à la vie de Mimi. Elle l'apprécie beaucoup. Il devient son accompagnateur pendant neuf ans et sa sagesse aide Mimi.

Le Père Gamache, jésuite, revient à la paroisse de l'Immaculée Conception comme vicaire. Il redécouvre la petite Mimi devenue adulte. Il la dirige avec une respectueuse autorité remplie d'exigences. Prêtre très donné dans sa paroisse, il n'est pas pour Mimi un directeur, mais un dictateur, comme elle aime nous le décrire. Elle ajoute cependant avec une grande reconnaissance: «C'était celui que Dieu m'avait préparé et qui me dirigea pendant près de vingt ans. Il exigeait que j'écrive à chaque jour ce qui se passe dans mon âme.»

Le Père Gamache l'accompagne avec fermeté et ne cesse de la conduire avec la certitude que son chemin est un chemin de croix! Après la paralysie[14] de Mimi, dont elle fut guérie, il continue de prier avec elle. Il lui célèbre la Messe fréquemment, fidèle à lui apporter la communion. Il connaît le secret de son âme avec son Bien-Aimé Jésus. Secret qu'elle ne

---

[14] Il s'agit là d'une blessure à la colonne vertébrale qui restera inopérable toute sa vie.

divulgue jamais. Sa famille ignore totalement ce qu'elle vit.

Cette direction dure dix-neuf ans et exige du Père Gamache une grande docilité à l'Esprit Saint. Il connaît les dangers qui guettent ces cheminements hors du commun et sait qu'il faut aussi que Mimi souffre beaucoup pour répondre aux exigences que Dieu le Père a sur elle.

Quand la maladie le terrasse, il passe la lourde responsabilité de la direction spirituelle au Père Paul Mayer, lui aussi jésuite. Avec beaucoup de respect, le Père Gamache, âgé de 83 ans, lui demande de poursuivre la route qu'il a tracée à cette âme privilégiée. Il donne comme consigne de ne pas «d'éprouver» comme il l'a fait, car s'il a été exigeant avec Mimi, c'était pour avoir la certitude que ce qui se passe en elle vient de Dieu.

Le Père Mayer sera son directeur pendant dix-sept ans. Homme de prière et d'un profond discernement, il doit à son tour la quitter pour l'infirmerie. Il demande à Mimi de prier afin de trouver un autre directeur spirituel.

Âgée de 67 ans, toujours soumise au Père Mayer, elle obéit et prie pour que Dieu lui indique un autre prêtre.

Plusieurs jours passent. Et le 8 décembre 1982, pendant la célébration eucharistique, la voix du Père Éternel lui dit clairement:

«Le Père Armand sera ton directeur spirituel et le Père Guy sera ton conseiller spirituel et responsable de tes notes spirituelles.» Ceux qu'elle avait acceptés comme fils spirituels en 1964 deviennent responsables de leur mère et assument leur engagement pendant vingt ans, jusqu'à sa mort le 2 juillet 2002. Une sainte était née!

Père Fontaine s.j.	Père Joseph Gamache s.j.
Abbé Blaise Émile Pleau p.s.	Père Paul Mayer s.j.
Abbé Paul Godin p.s.	Père Guy Girard m.s.a.
Père Armand Girard m.s.a.	

Les vœux de Mimi

Dans nos conversations, ils nous arrivent souvent de dire: «Il s'est consacré totalement à sa famille. Elle s'était consacrée à son enseignement. Il s'est consacré à son pays!»

Dans la vie religieuse, on parlera de ces hommes et de ces femmes qui se consacrent à Dieu à travers une œuvre commune, comme mère Theresa qui a consacré sa vie aux plus pauvres parmi les pauvres. Et l'on pourrait continuer cette énumération.

Pour Mimi, la prière était un refuge. Vers l'âge de 15 ans, elle priait au moins une heure par jour: «Sur 24 heures, donner une heure à Dieu n'est pas exagéré. Dieu veille sur nous 24 heures sur 24 heures.»

C'est à la même époque qu'elle se consacre à Marie dans la *Congrégation de Enfants de Marie*, et deux ans plus tard, elle s'offre comme victime à l'Amour Miséricordieux pour le salut du monde au sein de l'*Association des Âmes Victimes*, dont le responsable était le Père Charrette, dominicain.

Plus tard, à la demande du Père Gamache, Mimi fera les trois vœux, consécration à Dieu en respectant davantage les conseils évangéliques: vœux de pauvreté, de chasteté et d'obéissance.

À la suite de sainte Thérèse de l'Enfant Jésus, elle accède à la demande de son directeur spirituel en faisant le vœu d'immolation pour les âmes consacrées et en s'offrant en holocauste d'Amour au Père Éternel pour le salut de l'humanité.

Il ne s'agit pas d'une cumulation de vœux qui nous prépare une meilleure récompense. Il s'agit d'une intériorité plus grande dans un don sans cesse renouvelé.

Mimi est l'exemple parfait de celle qui veut s'immoler à la suite de Jésus. Elle ne cesse de désirer s'étendre sur la même Croix que Lui pour le salut du monde. Son désir est tellement grand qu'elle parle de remplacer Jésus sur la Croix.

Chaque eucharistie est pour Mimi l'occasion de vivre ce vœu de victime. Elle ne joue pas à se faire souffrir! Elle connaît ce que l'humanité a coûté à Jésus. Elle veut y participer!

Dans les grandes périodes de nuit qu'elle passe, Mimi revient au vœu qu'elle a fait et qui devient une source de salut. Je vous parle de ce vœu avec hésitation tellement il dépasse notre façon de penser et de voir.

Mimi: «Je fais le vœu de croire à tout ce que Dieu fait en moi, que je ne comprends pas, mais que j'accepte totalement! Par amour!»

L'acceptation de ce vœu semble une incohérence. Accepter de ne pas comprendre et de marcher dans la nuit est peut-être là un sommet d'amour qui défie l'intelligence!

Saint Paul aux Corinthiens écrit son hymne à la charité.

«Quand je parlerais les langues des hommes et des anges, si je n'ai pas la charité, je ne suis plus qu'airain qui sonne ou cymbale qui retentit. Quand j'aurais le don de prophétie et que je connaîtrais tous les mystères et toute la science, quand j'aurais la plénitude de la foi, une foi à transporter des montagnes si je n'ai pas la charité, je ne suis rien. Quand je distribuerais tous mes biens en aumônes, quand je livrerais mon corps aux flammes, si je n'ai pas la charité, cela ne me sert de rien.

«La charité est longanime; la charité est serviable; elle n'est pas envieuse; la charité ne fanfaronne pas, ne se gonfle pas, elle ne fait rien d'inconvenant, ne cherche pas son intérêt, ne s'irrite pas, ne tient pas compte du mal; elle ne se réjouit pas de l'injustice, mais elle met sa joie dans la vérité. Elle excuse tout, croit tout, supporte tout. La charité ne passera jamais.»

Mimi avait puisé dans l'Évangile ce que devait être son immolation et tous les vœux du monde, même les siens, ne pouvaient dépasser l'AMOUR.

Les vœux étaient dépassés!

Père Armand Girard m.s.a

Notes spirituelles

En 1953, à la demande de son directeur spirituel, Mimi écrit ses notes spirituelles. Si le Père Gamache lui impose une telle exigence, c'est qu'il veut vérifier ce qu'elle écrit, et ainsi la protéger. Il la découvrira dans cette merveilleuse intimité avec Dieu.

Satan voudra la détruire allant parfois jusqu'à imiter la voix du Père, du Fils et de l'Esprit-Saint. Il essaie de prendre la voix de Marie. La vie de Mimi sera un long dilemme. Un combat sans merci s'engagera entre Jésus qui l'aime et Satan qui veut la tromper.

Mais elle relit ses notes et découvre comment Dieu veille délicatement sur son âme. Lire ses notes est une véritable source spirituelle qui s'adresse autant à des croyants qu'à des incroyants. Ils ne pourront faire autrement qu'y trouver une étonnante nourriture. Personne ne pourra demeurer indifférent.

Pour ma part, il m'a été demandé de prendre la responsabilité de ces notes spirituelles. Ne pas les faire connaître serait manquer à la demande du Père Éternel.

En février 1964, Mimi dit à Jésus:

«Voilà ce que tu désires: le détachement de nos entretiens. Depuis quelques temps je me préparais lentement à cette pensée de la séparation des écrits. Ce matin, lorsque mon directeur m'en parla, j'ai eu un moment d'hésitation, de surprise, de peine. J'étais comme une mère à qui l'on voulait enlever son enfant.

«Mon Bien-Aimé Jésus, ces écrits, c'est toute Notre vie, Notre intimité, Notre Amour dévoilés que j'ai gardés en silence. Oui, cette petite vie cachée aux regards humains où Nous étions si heureux de vivre ensemble dans l'Amour et la souffrance, je dois la donner! N'est-ce pas que je suis lâche devant le sacrifice?

Jésus: «Ma Bien-Aimée, Je te comprends si bien. Et Je te dirai que cela Me console, car c'est une preuve que cette intimité était bien réelle, bien vivante en toi, autrement, si tous les écrits venaient de toi, tu n'aurais pas eu tant de peine en les donnant. Maintenant que ton sacrifice a été offert et accepté de Nous, il te faut mettre de l'ordre. Je te conseille fortement de faire une revue en lisant tout, avant de les remettre à notre cher apôtre, le Père Mayer. C'est son bien, son héritage.

«Relis l'année 1956. Regarde tout ce que Nous t'avons donné en abondance. Laisse le tout pour les âmes! C'est là ta mission de faire connaître Notre Amour miséricordieux, l'Amour dans la souffrance jusqu'au don total et Notre intimité avec les âmes. Voilà des moyens d'embellir l'âme et de la diriger vers Nous.

«La vie spirituelle de ton directeur s'en ressentira, car elle deviendra humble, confiante et soumise. L'esprit et le cœur seront détachés de tout et l'âme remplie d'Amour pur.

«Il ne faut pas être égoïste des dons reçus par Amour. Tu as reçu beaucoup, il faut donner beaucoup pour les âmes. Ma Bien-Aimée, ce n'est pas la fin de tout, c'est le commencement. Je serai avec toi. Notre intimité va continuer à grandir…»

Consolée par Jésus et consciente qu'elle accomplit la Volonté du Père, elle passera ses notes à son directeur qui les garde et les remettra au directeur spirituel qui lui succèdera[15].

La valeur de ces notes est cependant éloquente pour qu'immédiatement avant qu'elle les donne, le démon, imitant la voix de Jésus, l'incite à tout détruire.

Satan: «Ma chère petite épouse que j'aime tant, il y a un obstacle à notre amour, c'est pour cette raison que je ne puis venir te chercher. Dans l'intérêt de ta petite âme, il faut que tu détruises tous les écrits qui ne sont qu'un tissu de mensonges, de faussetés inspirées par l'orgueil. Mon Évangile est suffisant pour instruire les âmes et l'Esprit Saint est toujours là pour les aider. Si tu ne mets pas ordre à tout cela, tu seras jugée plus sévèrement, car dans les écrits tu te moques de Dieu. Tu me places au même niveau que toi par ton intimité que je déteste. Tu compromets l'Esprit Saint, tu ridiculises ma Mère. Oui, ma chère petite fille, ton orgueil va te perdre. Si tu savais le nombre d'âmes que tu vas troubler et induire en erreur. En te parlant une dernière fois comme je le fais, je te demande de garder le silence… comme cela tu mériterais que je te pardonne. Si tu veux obéir, détruis les écrits et surtout ne recommence pas.»

Les notes sont gardées et s'échelonnent entre les années 1953 et 2002. Il y a parfois des mois et des années sans écrits. La maladie et les hospitalisations expliquent ces absences. Si le Père Éternel le veut, ces écrits seront publiés dans leur intégralité, accompagnés de la correspondance avec dernier directeur spirituel.

Père Guy Girard m.s.a

---

[15] NDE: c'est-à-dire le Père Guy Girard, co-auteur de cet ouvrage.

Fiançailles spirituelles

Ne désirer qu'une chose: faire la Volonté du Père Éternel.

Mimi se laisse ainsi guider par l'Esprit-Saint et Il la conduit à une intimité toujours plus profonde avec Jésus. Dans ce cheminement spirituel, son directeur de conscience est là pour l'aider à discerner. Dieu ne permettrait pas qu'elle soit laissée à elle-même. Un jour, le 22 février 1953, dans son dialogue avec Jésus, elle entend la voix de Celui qu'elle appelle «Son Bien-Aimé». Il lui demande de devenir sa fiancée:

«Je te désire comme ma fiancée et tu porteras l'anneau que ton directeur te bénira. Cet anneau te protègera toujours. Il t'aidera à remplir ton rôle de fiancée du Christ et d'y être fidèle.»

Ces fiançailles spirituelles sont un jour merveilleux et longuement désiré de Jésus et de Mimi. Tout cela nous dépasse. On semble rendu dans un autre monde.

«Mon bonheur est immense et comme Il m'aime! Et comme je l'aime! Est-ce possible que nos cœurs contiennent autant d'Amour?»

Dans la solitude et le silence, elle échange de doux vœux et elle se sent toute petite près de son cœur adorable:

Le Bien-Aimé Jésus: «Crois en Moi, en Ma parole, à Mon Amour pour toi. Si tu savais comme Je veux ton âme belle, bien pure, remplie de simplicité, d'humilité, de charité. Abandonne-toi entièrement entre Mes bras. Je te garderai et laisse-Moi travailler en ton âme afin de la purifier davantage et de la rendre agréable à Mon Père. Depuis longtemps déjà, Je ne cesse de te combler de Mes faveurs. Nul ne peut comprendre ici-bas le grand mystère de la Miséricorde infinie.»

Jésus continue le dialogue de ce jour extraordinaire: «Il y a longtemps que Je désirais, que J'attendais ce jour où librement tu t'offrirais avec toutes tes misères, tes faiblesses, ta sincérité, mais surtout avec tout ton amour. Ne cherche pas à comprendre le mystère de l'Amour Divin. Que ce jour reste gravé dans ta mémoire. Il faut que cette année soit celle qui compte le plus dans ta vie.»

Les fiançailles spirituelles varient beaucoup selon les âmes qui sont choisies, mais il y a une constante: c'est la purification, le dépouillement de tout ce qui empêche d'être totalement donné à Dieu. Ce pénible chemin est jonché de lumière et de ténèbres.

C'est ainsi que Mimi va vivre une immense purification qui va la mettre à l'épreuve et ainsi la ciseler à l'image de son Jésus.

Il y aura des moments de révolte où elle enlèvera l'anneau, car elle ne veut plus des demandes de Jésus qui, alors, se penche vers elle avec plus d'Amour et d'attention. «Je ne croyais pas que la souffrance unie à celle de Jésus avait un sens de rédemption et de purification. Je la voyais comme une punition.»

Et Satan l'attaque pour la détruire. Elle ressent du dégoût face à la prière; les sacrements sont une lourdeur et même le directeur semble devenir une entrave à sa vie spirituelle. Satan lui dit: «Tu n'as aucune raison de continuer à vivre.»

C'est alors que son directeur lui demande d'écrire tout ce qu'elle vit pour vérifier ce que contient cette vie cachée.

Mais les instants de lumière sont tels que toute la souffrance du monde n'est rien à côté d'eux! On essaie de saisir cette joie qui ne se définit pas, car elle est Joie de Dieu. Nous sommes dans le monde du Divin, l'imagination n'y peut rien, la raison non plus. Seul le témoignage de l'âme ainsi gratifiée nous conduit à voir l'Éternel amour qui déborde du Cœur de ce Dieu!

Sainte Catherine de Sienne s'écriait devant le mystère de Dieu épousant l'homme: «Ô Éternelle Beauté, Ô Éternelle Sagesse, Ô Éternelle Bonté, Ô Fou d'Amour, as-Tu besoin de Ta créature? Oui je le pense, puisque Tu agis comme si Tu ne pouvais vivre sans elle, bien que Tu sois la Vie, la source de toute Vie, bien que sans Toi rien ne puisse vivre. Pourquoi es-Tu donc si fou de Ta créature? Pourquoi, puisqu'elle Te fuit, es-Tu si enivré de son salut? Pourquoi la cherches-Tu? Plus elle s'éloigne, plus Tu T'approches d'elle; pouvais-Tu venir plus près que lorsque Tu es venu dans son humanité?»

Père Guy Girard m.s.a

Les plaies de Jésus

Parler des plaies de Jésus est un sujet très vaste qui fait appel à toute la Passion. C'est déjà Sa mort qui s'amorce dans l'annonce de tout ce qui L'attend. Jésus sait de quelle mort Il va mourir. C'est cela qui explique la sueur de sang!

Il y a dans le corps de Mimi les plaies de Jésus. Les plaies des mains et des pieds, la couronne d'épines, la plaie du cœur, et la sixième plaie à l'épaule dont nous parle saint Bernard.

C'est en 1950 que Jésus lui fait comprendre qu'elle porte Ses Très Saintes Plaies.

À la question: «Est-ce que tu portes les plaies des mains et des pieds?» Elle répond *oui* en toute humilité et sans aucune gloire, mais dans la joie de faire la Volonté du Père. Mimi en fait la description comme un enfant qui ne sait pas qu'elle porte un trésor en elle.

«C'est aux poignets que furent enfoncés les clous afin de soutenir le corps de Jésus. C'est là que les douleurs sont les plus aiguës et les plus vives. Aux pieds, c'est un peu différent. Quand je suis couchée, j'ai toujours les pieds l'un par-dessus l'autre et les plaies sont sur le côté, le pied gauche soutient le pied droit.»

Elle reçoit la couronne d'épines le 25 avril 1953. Ce jour-là le Seigneur lui dit: «Aujourd'hui, Je dépose Ma couronne d'épines sur ta tête.»

C'est avec un infini respect qu'elle reçoit cette couronne dont elle dit qu'elle n'en est pas digne. Elle explique que c'est beaucoup plus douloureux le vendredi, pour deux raisons: c'est le jour de la mort du Seigneur et l'autre raison dépend de ce que Jésus demande. Elle ajoute: «La douleur de la couronne d'épines est plus accentuée pendant l'Eucharistie. Chacune des épines, identifiées par une douleur intense, correspond à l'indifférence de l'humanité à l'égard du Père Miséricordieux.»

«Les médecins ont cherché à diminuer les douleurs, mais ils ne trouvent rien. Quand le Seigneur se choisit une âme victime, ni la science, ni les médecins ne peuvent découvrir l'origine et l'intensité des douleurs et les soigner.» Lors de sa dernière entrée à l'hôpital, elle nous offre cette réflexion: «La souffrance de Dieu, les hommes ne la voient pas.»

Le Bien-Aimé lui dit: «C'est seulement après ta mort qu'on pourra découvrir les douleurs que tu as portées.»

Elle parle de la plaie du cœur qui est une douleur persistante qui ne cesse jamais. Elle ajoutera que la plaie de l'épaule gauche est la plus douloureuse.

«Jésus m'a indiquée que la plaie de l'épaule fut la plus souffrante de toutes par le portement de la Croix.» Son directeur de l'époque découvrira la révélation de saint Bernard: «J'eus, en portant la Croix, une plaie profonde de trois doigts et trois os découverts sur l'épaule.»

Elle demandera à Jésus la raison de cette plaie? «Je la [la croix] portais sur mon épaule gauche afin de laisser Ma main droite libre pour bénir une dernière fois mon peuple.»

Mimi parle aussi à son directeur de la flagellation qu'elle subit:

«Pendant l'Eucharistie, les plaies de la flagellation se font ressentir avec plus d'intensité. C'est comme si mon corps était en lambeaux.» Ce manteau de sang et de douleur n'est pas apparent, mais il n'en est que plus réel.

Elle dit que les souffrances intérieures de Jésus dépassent les souffrances physiques. «Mon âme est triste à en mourir.» C'est ici la terrible agonie du cœur, de l'âme et de l'esprit.

Le Cœur de Jésus a été blessé par l'ingratitude des hommes. Jésus est mort de trop aimer. Son cœur a été ouvert par l'Amour avant même que le soldat ne le transperce pour vérifier Sa mort. Ce geste n'était que symbolique!

Ils contempleront Celui qu'ils ont transpercé! C'est par Ses blessures que nous sommes guéris!

Père Armand Girard m.s.a

Mariage mystique

Ce Vendredi Saint 16 avril 1954 fut un jour mémorable pour Mimi. Il était 15 heures et tout à coup elle entrevoit la Sainte Face de Jésus. Il y avait comme un voile qui couvrait le visage et elle ne pouvait distinguer clairement les traits. La beauté et la bonté, la tendresse et la miséricorde, tout cela, comme filtré, rempli d'Amour, était visible à ses yeux. Mimi pleurait de joie.

Elle garde ce secret dans son cœur et garde aussi la douceur de ce regard voilé. Un trésor, «Comme mon unique soutien, ma consolation, ma force, ô Face Adorable de mon Bien-Aimée, je t'aime!»

Puis commencent les souffrances physiques, toutes les parties de son corps ont été atteintes. La douleur augmente, tous ses membres tremblent fortement, elle pleure et ne peut plus endurer. Soudain la douce voix du Bien-Aimé: «Ma chère petite, ne Me laisse pas seul, regarde-Moi encore, tes souffrances ne sont rien comparées à ce que j'ai enduré par Amour pour toi durant Ma Passion et pense bien à tout cela.

«Je puis te dire que Je suis mort d'Amour, c'est pourquoi Je te disais que tu auras à souffrir. Tu connaîtras comme Moi l'abandon total, puis tu mourras victime de Mon Amour. Je sais très bien que tu ne comprends pas tout, que tu ne comprends pas le sens de Mes paroles, c'est pourquoi Ma Mère Bien-Aimée te protègera d'une manière spéciale et te gardera sous Sa protection.»

Mimi Lui répond qu'elle fait si peu de choses à la vue de son Sang versé par Amour pour les âmes, alors elle offre et unit ses souffrances à celles de Jésus. «Mon Bien-Aimé, mon bonheur est tellement grand que je n'oublierai jamais ce beau jour.»

Viendra la nuit, les épreuves, la peine! Elle accepte avec amour la Sainte Volonté de son Jésus. Quel désir de porter la Croix chaque jour avec Lui, mais quelle souffrance! Ce que Dieu attend d'elle sur cette terre, elle l'accepte, mais quelle agonie lui fera lancer ce cri d'amour: «Que j'ai hâte de Te voir dans Ta gloire pour T'adorer, pour Te prouver mon amour, pour couvrir Ton front de baisers. Quand donc viendra ce jour? Je m'ennuie tellement de Toi. Quand vas-Tu venir me chercher? Le temps me paraît si long! Mais je me soumets à Ta Volonté.»

Elle a reçu les merveilleuses grâces des fiançailles spirituelles et du mariage mystique.

Désormais, Jésus l'invite à s'identifier à Lui comme prêtre et victime, dans l'épanouissement parfait du sacerdoce royal reçu au baptême. Ce don total est pour le salut des âmes, le renouvellement spirituel de l'humanité entière et la paroisse de Medjugorje.

L'Eucharistie est au cœur de sa vie. Jésus lui fait saisir que la très Sainte Messe n'est pas d'abord un repas, mais c'est l'ultime sacrifice de Jésus mourant sur la Croix pour le salut du monde. C'est toujours durant les Eucharisties que son offrande atteint son paroxysme. Il y a une identification au Christ Prêtre et Victime. Si la souffrance cessait, elle ne pourrait plus regarder le crucifix. Une évidence se fait alors: des millions et des millions d'âmes qui sont sauvées. Son sang au creuset de son être est mêlé à celui du Christ et il devient rédemption par union au Sauveur du monde.

Dieu le Père veut sauver le monde, Il le sauvera avec tous les êtres humains; mais il y aura toujours des âmes choisies pour poursuivre dans leur corps ce qui manque à la Passion du Christ pour Son l'Église.

Il n'est pas d'être humain qui ne rencontre la croix ou la souffrance dans sa vie. Que l'on soit croyant ou incroyant; de quelque race que l'on soit; de façon très intense ou moins intense; un jour ou l'autre, nous nous trouvons au pied de la Croix. Le Christ est là plein de tendresse et nous attend les bras ouverts. «Vous êtes mes amis…»

Père Guy Girard m.s.a

La Cour Céleste et Mimi

L'existence des anges a souvent été considérée comme une nécessité. Nous ne pouvons vivre sans cette protection spéciale.

Pierre Jovanovic, journaliste, a écrit: *Enquête sur l'existence des anges gardiens,* un livre qui a été vendu à six cent mille exemplaires. Pierre vient rencontrer Mimi. J'étais présent lors de cette entrevue.

Mimi lui parle de sa propre expérience à l'égard de ces créatures exceptionnelles qui nous protègent. Il ne faut pas les voir comme des créatures ailées qui s'amusent à voltiger autour de nous comme des cupidons affublés d'une panoplie de superstitions de mauvais goût.

Les anges sont ces merveilleux messagers qui viennent annoncer à la terre entière: «Aujourd'hui, un Sauveur vous est né! Gloire à Dieu au plus haut des cieux.» Ils annoncent à Marie qu'elle sera la Mère de Dieu, à Joseph qu'il doit s'enfuir en Égypte pour sauver l'Enfant. En résumé, ce sont des messagers de la Bonne Nouvelle et ils travaillent pour nous, si nous les invoquons!

Mimi prie toujours avec beaucoup de respect son ange gardien. Elle lui demande constamment son aide et il répond à ses désirs. Je me rappelle que Mimi disait: «Demandez l'aide à votre ange gardien, il vous répondra: présent!»

Elle s'amuse un peu des questions de Pierre et le taquine. Mais en l'entendant décrire tout ce que les anges font pour elle, Pierre ouvre de grands yeux et l'écoute comme si elle racontait un conte.

Comme celui-ci: un jour que Mimi prie son ange gardien pour une aide importante, elle entend la voix du Père: «Demande à la Cour Céleste, elle te répondra.»

Et de fait, le travail à effectuer était de repeindre la balcon. C'était tout un travail, mais je n'hésite pas et dis à Mimi: «Je vais le faire, mais ce sera long.» Elle me répond: «Je vais t'aider et la Cour Céleste sera présente.» J'accepte tout en ayant de sérieux doutes quant au résultat.

Mimi revêt un tablier qui avait déjà des taches de peinture; avec mon tablier tout neuf, tout propre, debout dans le vent du troisième étage, je me sens un peu travailleur au noir... Mimi, la main gauche sur sa hanche brisée, peint avec précision le mur et le plancher. En quelques heures, nous avions terminé. Je n'ai pas vu les anges, mais le travail s'est fait dans un temps record et je dois reconnaître que cela aurait été impossible sans une aide invisible! Mimi souriait: «Tu vois, il faut demander!»

Elle raconte aussi à Pierre Jovanovic combien les anges sont présents pendant l'Eucharistie: «Un jour, au moment de la Consécration, je vis la Cour Céleste adorant et chantant la gloire du Dieu Très Haut. Ce chœur des anges est toujours présent pour chanter le *Sanctus*.»

En quittant Mimi, au moment de l'embrasser, Pierre Jovanovic lui assura qu'il demanderait l'aide de la Cour Céleste pour terminer et publier son livre.

Père Guy Girard m.s.a

Don des langues et de discernement

Mimi parle un très bon français, même si ses études furent de courte durée. Elle ne parle aucune autre langue.

Un groupe d'expression anglaise, originaire de Boston, vient la rencontrer. Mary, une personne du groupe s'adresse à Mimi en anglais. À ma grande surprise, Mimi répond en français et curieusement Mary semble comprendre parfaitement la réponse.

La conversation se continue sans mon aide. Même si je parle difficilement cette langue, je réalise que quelque chose se passe! Je n'ai pas à intervenir! Comment se fait-il qu'elles se comprennent? Ne serais-ce pas le don des langues?

Un jour, une dame émigrée, Carmen, ne parlant que l'espagnol, vient voir Mimi. Elle demande à une amie de venir la rejoindre afin de lui servir d'interprète. Or cette traductrice est en retard.

En attendant son arrivée, Mimi parle à Carmen qui la comprend. Carmen lui répond en espagnol et Mimi la comprend en français. L'entretien se termine au moment où arrive l'interprète qui ne comprend pas pourquoi on l'a fait venir!

Ces «pentecôtes» se sont présentées plusieurs fois dans la vie de Mimi.

Mimi me demande parfois de l'aider pour une traduction en anglais. J'hésite toujours en lui expliquant: «Tu sais, mon anglais est très faible et je ne veux pas mal traduire cette personne qui a demandé à te voir. Ce que tu lui dis doit être bien compris, donc bien traduit.» Et toujours elle me répond: «Ne t'inquiète pas l'Esprit-Saint sera présent!»

Or un jour, un homme d'une quarantaine d'année vient la voir. Il parle de sa vie, de son travail, de son anxiété. Il parle de sa petite famille qu'il aime bien. Il avoue être incapable de se confier à ses proches. Il ne parle surtout pas de ce qui pourrait être cause de son angoisse. Alors que la rencontre se termine, Mimi lui demande s'il veut prier dans le sanctuaire. Il accepte avec plaisir.

Dieu aidant, je traduis la prière que fait Mimi. «Père Éternel, accueille les souffrances de ton serviteur qui se confie en toi. Donne-lui de retrouver la paix intérieure. Tu connais son anxiété, cette crainte de penser que son père n'est pas avec Toi. Je te remercie d'écouter Ton enfant qui se présente à Toi en toute confiance.»

Après la prière, Mimi lui dit: «Le Père Éternel a accueilli dans son ciel ton père que tu crois perdu à cause de son comportement.»

En entendant cela, l'homme se met à pleurer et dit: «La pensée que mon Père n'était pas en Dieu me hantait et était la cause de mon angoisse.»

Et son visage plutôt triste devint rayonnant et souriant. L'écoute et la prière de Mimi l'avaient libéré.

Père Guy Girard m.s.a

Don de prophétie

Depuis les temps anciens, les prophéties jalonnent nos vies et nos parcours humains, tantôt nous annonçant d'heureuses nouvelles, tantôt nous prédisant de difficiles moments. En étudiant la vie des saints, il est fréquent d'apprendre que nombre d'entre eux ont été gratifiés du don de prophétie.

Mimi avait ce don! Je peux l'affirmer, car j'en été le bénéficiaire et d'autres fois le témoin.

A l'occasion d'une visite dans son petit appartement de Montréal, je lui parle de mon travail à la Polyvalente «La Frontalière», dans la ville de Coaticook[16], à 150 kilomètres de là. Elle m'écoute, silencieuse. Puis tout à coup elle me demande de regarder par la fenêtre de son logement. Je lui dis que je vois l'hôpital Notre-Dame. Elle me répond: «Un jour, tu viendras travailler à cet hôpital.» Ce qui arriva et me permit d'être près de son lieu de vie et devenir son directeur spirituel.

---

[16] La nouvelle ville de Coaticook a été créée le 30 décembre 1998. Son nom signifie «Là où la rivière est bordée de pins blancs» et elle est surtout connue pour sa gorge et son pont suspendu pour piétons, le plus long au monde.

Un autre fait: Mimi regardait l'élection de Jean-Paul II à la télévision. Lorsque le présentateur souligna la jeunesse de ce jeune pape polonais, Mimi entend la voix du Père Éternel lui dire: «Il est jeune, mais les hommes en feront un vieillard prématuré.»

Guy et moi avons eu la chance de nous rendre à Rome. Cette retraite internationale de prêtres était offerte et parmi les conférenciers il y avait Jean-Paul II et Mère Teresa! Mimi nous avait remis à chacun une enveloppe que nous devions garder scellée. Nous ne devions en lire le contenu qu'une fois rendus dans la Ville Eternelle. Après quelques jours à Rome, je lis la lettre et Guy fait de même. À notre grande surprise, il est écrit: «Quand vous célèbrerez la Messe avec le Saint-Père, priez pour moi.» Contre toute attente et en dépit de notre incrédulité, c'est ce qui arriva. C'était pour nous un magnifique cadeau du Père Éternel! Nous étions dans une immense joie reconnaissante.

La prophétie qui me marqua le plus fut la suivante: comme elle me l'avais prédit, je travaillais à l'hôpital Notre-Dame à Montréal. Je parle à Mimi de la situation dramatique d'un de mes patients, Marcel, qui est aux soins intensifs en attendant pour une greffe cardiaque.

Elle me dit le plus simplement du monde: «Qu'il reçoive le Sacrement des malades et il aura son cœur à la fête du Christ-Roi.»

Je visite mes patients, je parle à Marcel de la demande faite par Mimi et je lui donne l'Onction des malades en présence de son épouse. Pour ma part, j'étais sans inquiétude d'avoir dit à mon patient: «Tu auras ton cœur à la fête du Christ Roi.» Cette fête arrive et Marcel me dit: «Je n'ai pas reçu mon cœur.» Et moi de répondre: «La journée n'est pas terminée!» En soirée, je suis demandé d'urgence à l'hôpital, Marcel avait reçu son cœur… Mimi était tout heureuse et remercia le Père Éternel.

Intrigué, Albert Guerraty, le chirurgien de Marcel, demanda à rencontrer Mimi et tous deux devinrent des amis. Quand à Mimi, pas instant elle ne s'étonna de ce miracle. Pourquoi, d'ailleurs, l'aurait-elle été? Notre Dieu n'est-Il pas aussi un Dieu des surprises?

Mon Eucharistie fut pour Marcel et sa famille. J'étais dans l'action de grâce!

Père Armand Girard m.s.a

Don des larmes

J'avais souvent entendu parler de ce don, tout en sachant qu'il ne s'agissait pas des larmes de chagrin, de souffrance, de désespoir ou d'amour, mais la découverte profonde de la Beauté de Dieu; la rencontre avec Sa grandeur quand Il se penche et nous prend dans Ses bras remplis d'affection.

Après avoir entendu la confession de Mimi, il m'est arrivé souvent de la voir éclater en sanglots. Je voyais ses joues ruisseler de larmes et je me disais: «Elle a vu le Christ resplendissant de beauté et elle sait qu'elle a marché sur les bords du péché.» Il m'est arrivé de la prendre dans mes bras et de consoler l'inconsolable, tout en sachant, intérieurement, qu'il est préférable de ne pas assécher cette source de larmes, car ce sont des larmes pures! Ce sont des perles qui lavent les péchés du monde. Elle me disait que souvent dans la solitude de la nuit elle pleurait pour ceux qui ne croient plus et qui se moquent de Dieu. Paradoxalement, les larmes de Mimi consolent Dieu et humanisent l'humanité. Je ne me suis jamais habitué à la voir pleurer. Elle était comme un enfant qui suffoque, soit de peine soit de joie.

Elle disait: «Je pleure mes moindres imperfections... c'est l'Église qui se purifie. Jamais je ne pourrai cesser de sauver des âmes. Le Père m'a placée sur le chemin de Son Fils Jésus et mon chemin est celui de la souffrance. C'est le sentier étroit qui conduit à la perfection.»

Mimi voyait la misère du monde et, comme Jésus, elle pleurait. Ce sentiment qui laisse couler des larmes, nous rappelle les phrases de Jésus: «J'ai pitié de cette foule.» Ou quand, contemplant Jérusalem, il pleura sur elle: «Ô Jérusalem, toi que j'ai aimé... Je voulais rassembler tes enfants...»

Combien de fois, j'ai vu les larmes perler au coin des yeux de Mimi, alors qu'elle essayait de dissimuler son émotion dans un sourire! Aimer à en pleurer d'amour!

Le don des larmes, c'est l'épouse qui cherche Dieu dans la nuit!

Père Armand Girard m.s.a

La chasteté et Mimi

Il peut apparaître curieux de s'intéresser à ce sujet dans la vie de Mimi. Mais vraie femme, elle a vécu une véritable sexualité. Elle l'a exercée sainement et saintement. La regarder peut être pour nous source d'inspiration. C'est avec humilité qu'elle nous en parle.

Dans son enfance, elle apprend à respecter son corps. Elle grandit dans une famille nombreuse. Elle avait trois frères, Paul, Georges, Maurice, et deux sœurs, Marcelle et Denise. Membre d'une chorale mixte, Mimi est souvent taquinée par les jeunes gens. Elle s'en amuse! Son père, sa mère, ainsi que les autres enfants feront également partie de la chorale.

Plus âgée, Mimi entretient une relation saine et ajustée aux hommes et femmes qui viennent la consulter ou qu'elle côtoie dans sa vie. Originaire de Belgique, son père Alfred Faniel, artiste peintre, décoré par le roi Beaudoin pour l'apport artistique apporté au Canada, veillera sur elle.

C'est une famille d'artistes et Mimi a beaucoup de talent en dessin, en chant, en piano. Elle rencontre beaucoup de gens faisant partie de l'Union belge de Montréal.

Mimi est belle, svelte, elle a une chevelure abondante, des yeux francs et limpides. Elle attire les regards. On lui offre un poste de mannequin et son papa dit un non formel. Elle a la possibilité de suivre une formation de détective privé dans un grand magasin[17], son père dira non! Enfin, elle suivra des cours de piano pendant huit ans, et sera diplômée du conservatoire Royal de Montréal. Elle est demandée pour travailler à Radio-Canada. Elle a enfin un travail, mais avant même de pouvoir réaliser ce rêve, elle subit une attaque de paralysie, conséquence d'un accident dont elle a souffert dans son enfance et dont elle n'a jamais parlé.

Si je vous raconte ces faits en apparence anodins, c'est pour que vous compreniez que Mimi a vécu comme tout le monde. Elle a, comme chacun de nous, eu à combattre des tentations, mais a toujours su vivre sa sexualité avec une grande maturité.

Elle me dit dans une grande transparence: «En parlant avec toi au téléphone, Satan et ses légions s'attaquent à moi. Ils essaient de me forcer physiquement à poser des gestes contre la chasteté. Mon cœur et mon âme sont broyés! Et parfois même pendant des prières avec toi, il essaie de m'enlever la sérénité que nous apporte Dieu.» Et Mimi remercie Dieu de ces tentations et lui offre la misère de son âme.

Cette confidence nécessaire nous indique que cette femme ne panique pas devant sa sexualité, mais que cela l'oblige à regarder plus intensément Jésus. Sa chasteté n'a rien d'une peur des autres, de l'autre sexe, ou d'une attitude morbide. Son cœur devient plus ferme et sa relation aux autres est faite à la fois de distance et de proximité, enveloppée d'une belle affection.

La chasteté de Mimi est capacité de don et d'attention, d'assurance et de liberté. Elle est fidélité à ce Dieu qu'elle aime et qui est Père. Sa maîtrise de soi s'accomplit dans le célibat consacré. Sa résistance au mal naît de son accueil à l'Amour indéfectible du Père.

---

[17] Magasin Eaton- Dupuis et Frères.

C'est son regard vers le Père qui restaure toute sa lucidité et lui donne un cœur blanc et pur comme la neige. Elle est profondément humaine. Je crois qu'elle voulait annoncer ce que saint Paul nous dit: «L'œil de l'homme n'a point vu, son oreille n'a point entendu et son cœur ne peut imaginer tout ce que Dieu réserve à ses élus.»

Heureux les cœurs purs…

Père Armand Girard m.s.a

L'Alliance

L'alliance est un mot d'une richesse insoupçonnée. Il semble nous venir du fond des âges. Depuis des siècles, nous l'utilisons pour indiquer que nous sommes convenus d'une entente, que deux personnes se sont réconciliées, que des peuples ont fait la paix. L'alliance est aussi un anneau que l'on passe au doigt de la personne aimée.

L'Alliance est un symbole que Dieu utilise pour parler de l'Amour qu'Il a pour Son peuple. Elle est très fréquente dans l'Ancien et le Nouveau Testament. Elle signifie l'union de l'âme avec son Dieu.

Les lecteurs se rappelleront l'arc-en-ciel qui trace sa courbe dans un coin du firmament après la pluie. Nos yeux ne se fatiguent pas d'admirer ses couleurs. Celles-ci sont le signe de l'alliance!

Dans la vie spirituelle, le mot Alliance est continuellement utilisé pour parler de l'échange sublime, divin et unique du Créateur avec Sa créature. Mais il devient de plus en plus évident que cette expression englobe l'union de l'être humain, corps et âme avec son Dieu.

Pour Mimi, cette union mystique est incrustée dans son corps. C'est le premier juillet 1982 que cette marque de Dieu apparaît. Elle a la forme d'un deux (2), mesure 3 mm de longueur par 2 mm de largeur. Le Père Éternel lui a demandé d'appeler cette signature: «Alliance.»

Il lui en donne la signification: «Deux dans une même chair.»

Son directeur spirituel demandera que cette marque dans son corps soit vue par deux médecins et qu'une photographie soit prise. Accompagnée du Dr Joseph Ayoub, le docteur Alain Farley, après un examen minutieux, déclara, émerveillé: «Comme médecin, je n'ai jamais vu un signe pareil. C'est incroyable, ce signe ressemble à un néon lumineux où l'on voit circuler le sang qui est parfaitement synchronisé avec les battements du cœur, et pourtant il n'est relié à aucun organe adjacent. Je le vois très bien, même si le chiffre deux est très petit.»

Les photos prises à l'aide d'une caméra d'hôpital munie d'une lentille d'agrandissement ont été parfaitement réussies. Elles nous indiquent comment est incrustée cette Alliance: composée de sept points rouges, elle signifie les sept dons de l'Esprit Saint. Les trois vertus théologales et les quatre vertus cardinales.

Ce don du Père manifeste l'intimité de Dieu avec l'âme et une identification plus grande à la souffrance du Christ crucifié. Ici, nous nous trouvons face à un mystère d'Amour! Mimi s'offre comme prêtre et victime pour aider le Saint-Père, les âmes consacrées, l'Église et l'humanité entière.

Jésus lui fait comprendre de ne pas poser de questions qui relèvent de la simple curiosité. Mais Il lui dit que cette grâce de l'Alliance est un fait unique dans l'univers.

Le Père lui demande d'avoir beaucoup de respect pour cette signature de Dieu et que ceux et celles qui auront le privilège de l'honorer le fassent toujours à genoux. D'ailleurs, les deux médecins qui l'ont photographiée l'ont fait à genoux. Pour ma part, je dois avouer humblement, que Dieu a permis que j'honore cette Alliance des centaines de fois. Je le faisais en prenant conscience que c'était pour l'Église et l'humanité entière.

Plusieurs autres personnes l'ont fait en demandant des grâces et elles furent exaucées. Cette marque de Dieu, signifiant avec force le mariage mystique, avait une puissance de guérison et de grâce.

Ce mot «Alliance» que le Père Éternel a donné à ce signe est un rappel pour Mimi et pour l'Église entière. Dieu n'a jamais fini de faire Alliance. Les hommes de ce temps et des temps à venir devront toujours tenir compte de ce pacte de Dieu qui s'est fait dans le sang de la Croix.

L'Eucharistie est aussi une réalité de l'Alliance. Le Christ dans Son immolation nous rejoint au cœur. Il trace ainsi le chemin de Dieu montant et descendant de la Jérusalem Céleste. Le *Mysterium fidei* s'actualise en nous apportant sans cesse la nourriture du Pain de Vie.

Mimi comprend avec une profondeur inégalée ce qui se passe dans cet échange merveilleux où Dieu et l'homme se rencontrent dans une fusion d'Amour. Durant la célébration eucharistique une phrase jaillissait de son cœur et je l'entendais offrir son Corps et son Sang: '*Hoc est enim Corpus meum*[18]. Elle offrait son cops, son sang fusionné a sang de Jésus. Devant la richesse de ce don, il vaut mieux garder un respectueux silence. Trop de mots n'aident plus à l'adhésion du cœur.

«Mon Seigneur et mon Dieu, je crois et je vous adore présent dans cette Alliance pour vous glorifier avec Marie par le Précieux sang de Jésus.»

Père Armand Girard m.s.a

---

[18] *Ceci est mon Corps.*

Satan

S'il en est un dont on ne voudrait pas parler, c'est bien de Satan. De moins en moins d'humains croient en lui. Qu'on l'appelle Satan, Démon, l'Adversaire… il reste que dans toutes religions monothéistes ou autres, on parle de lui...

La société occidentale semble l'ignorer de plus en plus, mais cela ne donne pas une certitude de sa non-existence. Quelles que soient les religions et leur histoire, le Diable y a toujours une place.

Dans la vie spirituelle, particulièrement dans la vie des grands mystiques, on le découvre combattant toujours ce Dieu qui les habite. Mimi a combattu Satan jusqu'au sang et c'est avec l'aide de sa Mère du ciel, la Vierge Marie, qu'elle peut l'écraser. De plus, le pouvoir sacerdotal le terrasse et le fait fuir.

Pour Mimi, sa prière est continuelle comme un long ruisseau qui coule vers la mer pour se perdre dans l'immensité des océans d'Amour. Satan n'a que faire d'une âme de cette beauté divine! Il désire la détruire, afin de la faire sienne.

Dieu permet que Satan s'attaque à Mimi, qu'il tente de la décourager, de lui faire croire que toute sa vie est mensonge et illusion. Et il n'est pas faux de dire qu'il essaye de déformer les paroles de celle qu'il attaque. Il fait dire à Mimi: «Merci Jésus de permettre à Satan de parcourir le monde pour la perte des âmes» ou «Je me salue Marie, Satan est en moi.» Il maudit les plaies de Jésus que porte Mimi. Il maudit aussi l'Alliance incrustée dans son corps.

Nous remarquons qu'il rage de plus en plus depuis que le Père Éternel demande à Mimi d'offrir ses souffrances pour que l'on reconnaisse l'authenticité des apparitions de Medjugorje. Poussé à bout, Satan dans une rage indescriptible fera entendre à Mimi ce qui suit: «Pauvre petite fille, tu deviens de plus en plus une malade mentale.»

Alors Mimi lancera un cri vers sa douce Maman du Ciel. C'est dans le Cœur de Marie qu'elle se réfugie! Dès qu'elle entend la voix de cette Mère, la paix revient, et celui qui l'attaque de façon si brutale est terrassé. «Marie lui écrasera la tête...»

Satan sait bien qu'il ne peut rien contre Mimi, car elle est habitée par la Trinité Sainte! Mais il continue de vouloir la déchirer et la broyer, tellement elle est source de salut pour des millions d'âmes.

Et le voilà qui revient de nouveau avec une nouvelle attaque qui dépasse l'entendement: «Ma chère petite fille tant aimée, enfin tu admets que tes forces diminuent. Malgré tous les avertissements que je te donne, tu persistes encore à vouloir rester dans l'erreur. Nous nous comprenons si bien et cela m'honore que tu écrives nos entretiens (...)»

Cette parole du démon imitant la voix de Jésus est dite pour confondre Mimi. Dès lors, elle en parlera avec son directeur de conscience. Ce dernier découvre toujours qui est l'interlocuteur.

Ces luttes contre le père du mensonge, Mimi les affronte sachant très bien qu'elles appartiennent uniquement à Dieu, que son Seigneur est là pour la défendre. En elle, la foi, l'espérance, la charité, tout, absolument tout, est purifié par l'Amour Divin.

La haine sera vaincue! L'Amour sera vainqueur!

Père Guy Girard m.s.a

Les nuits

Parler des nuits, c'est faire appel à l'obscurité, à la noirceur, à l'ombre. Il serait peut-être plus facile de dire «l'absence de lumière». Cependant il est important de se souvenir que la nuit la plus obscure et le jour le plus lumineux n'apparaissent jamais dans une pureté totale de couleur.

Mimi, dans les quelques pages qu'elle a écrites de sa vie à partir de son jeune âge jusque vers 35-40 ans, nous donne une photo de son cheminement.

Il est surprenant de voir que très tôt, elle semble entrer dans une purification des sens. C'est une blessure qui arrive dès l'âge de quatre ans et elle écrit: «Quand, à l'âge de quatre ans, alors que j'aidais ma grand-mère à faire la lessive, ma main a glissé et le petit doigt est resté pris dans l'essoreuse. Ma grand-mère m'a demandé d'unir ma souffrance à celle de Jésus pour sauver des âmes: «Regarde Jésus, Il n'a pas seulement un doigt de blessé, mais toute la main.» J'ai baisé le crucifix en répondant: «Cela fait mal pareil!»

Puis à l'âge de six ans, lorsqu'elle prépare sa première communion, alors que ce doit être un jour de joie, Mimi regarde l'Hostie. La religieuse lui dit de ne pas être curieuse et Satan, se faisant ange de lumière, imite la voix de Jésus: «C'est vrai que tu es curieuse, je n'aime pas cela, tu n'es pas obéissante et tu as fait un gros péché mortel qui va te conduire en enfer. »

Dès lors cette enfant commence à vivre un terrible sentiment de culpabilité qui sera un traumatisme dans sa vie. Elle ne peut se confier à personne.

Un autre événement plus dramatique encore viendra la placer dans la nuit et elle le raconte dans ses écrits: «Maman décide de donner la permission à la petite voisine de venir jouer un peu avec moi, pour me distraire, car je pleure souvent. La petite voisine a alors neuf ans et demi et moi à peine six ans. Maman nous laisse seules dans la chambre. La petite voisine me dit: «Viens nous allons jouer un nouveau jeu. « Je refuse car je veux savoir le nom. Elle me dit: «Ce jeu n'a pas de nom, il faut le faire pour savoir que ce jeu s'apprend vite et nous allons avoir beaucoup de plaisir et tu vas rire.»

«Comme elle était plus grande que moi, elle s'approche, me prend dans ses bras me baise et me caresse. «Tu vois, dit-elle, c'est un beau jeu! Je ne t'ai pas fait mal! Tu vas voir, tu vas aimer cela et tu pourras le faire seule. Tu auras toujours le même plaisir.» Donc elle enlève ma petite culotte et passe sa main à plusieurs reprises, je pleure et je lui dis: «Va-t'en! Laisse-moi…» – «Ne crie pas, disait-elle, ta maman va te punir pour ce que tu as fait.» Puis elle continue avec plus d'ardeur: «Dis-moi que tu aimes cela. « Et elle continue… Je pleure et je ne peux plus me dégager, je n'ai plus la force de me battre contre elle. Puis avec un sourire: «Tu vois, c'est facile, je suis sûre que tu ne l'oublieras jamais ce jeu-là.» Je n'ai jamais oublié ce jour-là. Je ne pouvais dormir, je ne savais pas ce qui m'arrivait!»

Il est difficile d'imaginer la souffrance morale que déjà enfant elle doit porter. Voilà qu'à un âge si jeune, elle est enveloppée dans la nuit.

«Le lendemain matin, la religieuse nous prépare pour la première confession. Elle fait avec nous l'examen de conscience. Elle parle des mauvaises pensées, les désobéissances à nos parents, des mauvais touchers entre petites filles ou petits garçons. Elle ajoute: «C'est un gros péché mortel qui mérite l'enfer pour toujours.»

Voyant que c'était mon cas, je pleure et je pense: «Jésus ne m'aime plus.» Je déteste la petite voisine et je dis à maman: «Je ne l'aime pas… je ne veux plus la voir.»

Les jours passèrent et arrive le temps de faire sa confession. Elle se prépare, mais de nouveau ce fut l'incompréhension. Elle raconte son drame: «Tout ce que je me rappelle, c'est que j'ai dit au prêtre que j'avais fait un gros péché. À ce moment-là, il a parlé si fort que je n'ai rien compris. Je pleurais parce que j'entends intérieurement une voix qui me disait: «Tu es damnée, car tu as fait une mauvaise confession et le prêtre ne t'a pas pardonné. Il n'y a pas de pardon pour toi quoi que tu fasses. Tu es en état de péché mortel.» Quel drame je vivais… c'était plutôt la mort et mon secret était caché au fond de mon petit cœur.»

Toutes ces épreuves écrites par Mimi nous font comprendre que la nuit des sens peut se présenter très jeune. On ne peut imaginer la souffrance dans le cœur de cette enfant qui ne veut qu'aimer son Jésus et qui vit une culpabilité incroyable.

Mimi arrive à l'âge adulte et alors surgissent les grandes purifications de l'esprit. Elle sortait d'une nuit pour plonger dans une autre nuit dont la noirceur ne se compare pas. Ici, ce sont les étangs boueux et les tunnels de l'esprit. C'est le combat de Satan qui se déguise en ange de lumière. Les attaques s'orientent avec une rage inassouvie contre l'âme et il en sera ainsi contre le corps.

«Il s'attaque à moi surtout dans ma vie spirituelle. Il s'acharne à vouloir me détruire dans ma foi. Il me fait croire que tout ce que Dieu fait en moi est illusion, que je suis damnée pour l'éternité. Mais il s'attaque aussi à moi quand vous êtes dans le sanctuaire. Son agressivité est plus grande parce que vous êtes des âmes consacrées. Quand vous êtes tous les deux, Père Guy et Père Armand, Satan rage davantage et il s'attaque à moi. Dieu permet cela, car par votre sacerdoce vous pouvez le chasser et me protéger.»

La plus grande partie de la vie de la petite servante du Père s'est passée dans le noir. Elle a vécu la terrible nuit de la foi. Elle vit l'agonie du cœur, de l'âme et de l'esprit. C'est donc dans la foi pure qu'elle doit marcher, car Satan tente de lui faire croire avec une sorte d'évidence que toute sa vie est un tissu de mensonges. C'est l'agonie au Jardin des Oliviers qu'elle partage. Satan imite la voix de Jésus et de Marie. Il lui parle de sa damnation si elle ne renonce pas à cette vie. On ne peut décrire ces nuits de ténèbres, car même la mort est une délivrance comparée à ces différents états d'âme.

Combien de fois durant la nuit, elle l'entendit lui dire: «Tu es damnée, et tu entraînes ces deux prêtres avec toi... Eux aussi, ils croient à ta vie de mensonges, mais un jour ils maudiront même l'heure où ils t'ont connue.»

Les suggestions de Satan et tous les subterfuges font souffrir l'âme plus que mille morts. Mais à travers cet océan de ténèbres, où les vagues successives des abîmes que Satan lui présente semblent vouloir la détruire, Dieu inspira à sa servante de faire le vœu de croire à tout ce que Dieu fait en elle[19]. C'est à ce vœu qu'elle doit revenir toujours au milieu des nuits sans lumière. C'est la bouée de sauvetage que Dieu lui a lancée.

Malgré tout, elle supporte volontiers tout ce que le Père lui demande pour témoigner des apparitions de la Vierge Marie à Medjugorje.

J'ai beaucoup parlé des nuits. Ces purifications s'allongent pendant toute une vie avec des durées plus ou moins longues. Elles sont un peu comme la vie. Parfois elles sont là pendant des jours, des semaines, des mois et des années.

Je crois que la dernière purification est la mort qui débouche sur une lumineuse résurrection.

Maintenant, pour Mimi c'est la joie éternelle!

Père Armand Girard m.s.a

---

[19] Voir page suivante.

Vœux dans la nuit de la Foi

En présence de la Trinité Sainte,

En présence de Marie Immaculée, Reine de la Paix et Porte du Ciel,

En présence de la Cour Céleste,

En présence de Maman Marie-Rose †

et devant mon directeur spirituel, le Père Armand Girard m.s.a

et de mon conseiller spirituel le Père Guy Girard m.s.a

Moi, Georgette Faniel,

je m'engage par vœux, devant le Sang précieux de Jésus

À croire

Tout ce que Dieu fait en moi, que je ne comprends pas, mais que j'accepte totalement par amour!

Je présente ce vœu à Marie-Immaculée, Reine de la Paix, pour mourir totalement à moi-même, et pour devenir témoin de l'authenticité des apparitions de la Vierge à Medjugorje.

Ce vœu, je le fais en toute liberté, pour répondre totalement à la volonté du Père sur moi.

C'est aussi ce vœu que je fais afin de m'identifier totalement au Christ, prêtre et victime, pour sauver des âmes, pour renouveler le cœur des prêtres de l'Église entière jusqu'à la fin des siècles, et pour la gloire du Père.

Que ce vœu soit une protection pour le Souverain Pontife Jean-Paul II, et pour mes fils spirituels le Père Guy et le Père Armand.

C'est par la Puissance de l'Esprit Saint et de la Vierge Marie que j'accomplirai ce vœu, jusqu'au jour où le Père, dans sa bonté, me rappellera à Lui. Que Dieu me vienne en aide.

En foi de quoi j'ai signé: *Georgette Faniel*   8 décembre 1985

                Père Armand Girard m.s.a   *Père Guy Girard m.s.a*

La Vierge Marie et Mimi

Elle fut toujours sa Mère!

Je crois que tous les instants de la vie de Mimi furent imprégnés de la présence amoureuse de Marie. Comme Elle, son regard est tout entier fixé sur Dieu et c'est ainsi qu'elle vivra son cheminement spirituel. Les souffrances, les angoisses, les tentations contre la foi seront un appel à se réfugier dans le cœur de cette Mère qu'elle aime tant.

Comme Marie, elle se fera «Petite Servante du Père», car tout devient service. Elle est alors happée par l'Amour dévorant de Dieu qui la rend plus à elle-même qu'elle ne l'était avant. Une prise de conscience d'être regardée par Dieu avec une infinie tendresse la fait se reconnaître comme un «rien» devant l'Amour trinitaire.

La connaissance que Dieu lui donne d'elle-même lui révèle sa grande pauvreté. Plus nous sommes illuminés par Dieu, plus nos moindres blessures se font plaies! Dans ses terribles nuits où Mimi se sent damnée, le Père Armand la rassure: «Mimi tu n'as jamais offensé Dieu!»

Mimi reconnaissait sa pauvreté! Thérèse de Lisieux disait: «Le Bon Dieu m'a pardonné beaucoup plus qu'aux pécheurs... puisqu'Il m'a préservée.»

S'il vous est donné de regarder le cœur blessé et meurtri de Jésus, comme cela fut donné à Mimi, ne pleurez pas des larmes, mais laissez éclater vos sanglots! Toute sa vie, Mimi pleurera ses péchés, pleurera devant le cœur blessé de Jésus. Seule la mort la guérira de cette douleur.

Voir mourir le Christ sur la Croix, saisir la douleur du péché, comprendre sa conséquence dans le monde, c'est cela que sentait la Vierge Marie, c'est cela que sentait Mimi, c'est cela que nous devons ressentir!

Que notre cœur soit transpercé à son tour et déchiré par la douceur désarmante de Dieu. Il en était ainsi pour la Vierge Marie. Il en était ainsi pour la servante du Père. Qu'il en soit ainsi pour nous!

Mimi s'est toujours sentie petite, pauvre, misérable. Alors Dieu s'est penché vers elle. Le creux dans l'âme aspire Dieu. L'orgueil le fait fuir, car il n'y a pas de place pour Lui! Dieu ira toujours vers la pauvreté!

La souffrance de Dieu, c'est le refus du don. Mimi dira à Dieu: «Je n'ai rien à offrir, je t'offre ce rien.»

Elle soulagera le cœur transpercé du Fils et Celui du Père.

Père Guy Girard m.s.a

Le Père Éternel

Père Éternel: ce nom reste dans notre mémoire d'enfant et même d'adulte comme un Dieu bon, mais ferme, un Dieu qui, selon les anciens, était sévère et semblait punir plus souvent que pardonner. Pourtant, Dieu est tellement grand et beau qu'Il ne se définit que par un mot: Amour.

La très Sainte Vierge Marie nous fait comprendre l'Amour du Père manifesté en Son Fils crucifié. C'est en contemplant les plaies de Jésus que Mimi découvre l'Amour infini du Père pour chacun de nous.

Avait-on oublié que le Père Éternel existe? Sainte Marguerite d'Youville[20] nous le rappelle par sa grande dévotion au Père.

Dans la vie spirituelle, on parle peu de Lui. Il est fascinant de voir que dans le cœur de Mimi, il y a un éveil très évident pour la prière adressée au Père. Mimi nous fait découvrir la grandeur et la Miséricorde du Père. C'est la surprise et l'étonnement! Nous deviendrons amoureux de Celui que l'on avait presqu'oublié.

---

[20] Marie-Marguerite d'Youville (Montréal 1701-1771), fondatrice des Sœurs de la Charité de Montréal (les Sœurs Grises). Béatifiée en 1959 par Jean XXIII, elle la première Canadienne à avoir été canonisée (Jean-Paul II en 1990).

Elle explique que prier le Père est une grâce, et rapidement elle nous fait voir son Jésus passant de longs moments d'intimité priante avec Lui, Son Père. Tout doucement, elle nous livre comment, dans sa vie, cette prière au Père Éternel prend forme et est sa nourriture spirituelle pour une plus grande intimité avec Lui.

La Vierge Marie est éducatrice et enseignante de la prière. Au moment opportun, elle nous conduit à prier comme Jésus l'a appris à Ses apôtres. «Quand tu veux prier, retire-toi dans le secret.» Partout et toujours, ce dialogue avec notre Dieu peut couler comme une source inépuisable. Il guérit la solitude, l'ennui et l'angoisse.

Jésus dit: «Il n'y a pas de plus grand amour que de donner sa vie pour ceux qu'on aime.» Par cette phrase, Il nous présente le visage du Père. Ce visage si souvent défiguré! Il fallait que le Père aime à l'infini cette humanité pour qu'Il la sauve par le don de Son Fils.

Avec humilité, Mimi dit simplement: «J'entends la voix du Père comme une voix qui me reprend avec Miséricorde et tendresse, tout en gardant une certaine fermeté paternelle. Dès qu'Il s'est présenté, Il m'a parlé de Son Fils. Il me parle comme un père face à son enfant. Alors je lui dis: Père Éternel ou Père Très Saint.»

Mimi ajoute cette phrase étonnante: «Son Amour pour nous dépasse pratiquement l'Amour qu'Il a pour Son Fils, car nous, nous avons besoin de purification, alors que Son Fils donne Sa vie pour nous purifier. Au plus profond de Son cœur de Père, Il nous aime davantage, malgré nos faiblesses et nos péchés. Plus on se sent misérable, plus Il est près de nous. Le premier pas que nous faisons vers le Père, malgré nos péchés, Le conduit à nous combler.»

Mimi présente le Père, Le prie et le fait connaître. Elle écrit cette confidence du Père: «Il n'y a pas dans le monde une seule petite chapelle ou église dédiée à Mon Nom. »

C'est ainsi qu'en l'année 1960, avec la permission du cardinal Paul-Émile Léger, elle aménage dans son appartement un lieu de prière, au sein duquel,

Mimi y a intensément prié pour qu'un jour, il y ait un sanctuaire public dédié au nom du Père Éternel. Et en mai 1986, à l'hôpital Cité de la Santé de la ville de Laval, au Québec, a été érigée une chapelle «À La Gloire du Père Éternel».

Mimi parle souvent du Père. Elle veut Le faire connaître et aimer. Cela fait partie de sa mission. Elle ne peut en parler sans référer à Jésus. La souffrance de Jésus offerte pour le salut du monde, c'est aussi la souffrance du Père, c'est aussi la souffrance de Mimi.

Dieu ne punit pas, Il ne se venge pas, Il oublie nos fautes, Il les jette au fond de la mer, Il les brûle, les détruit comme si elles n'avaient jamais existé. Dieu le Père soigne nos blessures. Il aime notre pauvreté, notre petitesse. Plus nous Lui offrons nos pauvretés, plus Il comble nos vallées vides d'amour, plus Il redresse nos sentiers tortueux.

Mimi Le présente comme Celui qui ne peut qu'aimer. Les guérisons qu'Il opère ne se font pas sans douleur physique, sans souffrance morale et spirituelle. Plus nos plaies sont grandes, plus la guérison demande du temps. Cependant nous avons la certitude d'être guéris. Cette évidence de guérison venant du Père, Mimi l'avait expérimentée tellement de fois qu'elle ne pouvait se taire.

«Notre Père qui es aux Cieux, que Ta Volonté soit faite.»

Père Guy Girard m.s.a

Salut des âmes

Le salut de l'être humain ne se fait pas de façon individuelle, il ne peut être que communautaire. Sinon l'Amour n'existerait pas! Il est communion. Cette communion embrasse l'humanité de tous les temps et de tous les lieux. Personne ne peut échapper à l'Amour.

Jésus sauve l'humanité par le don de Sa Vie. Il demeure «communion». Il S'associe à cette humanité. Nous y participons chacun pour notre part. Le choix du Père invite les âmes à se livrer à l'Amour. Les âmes victimes sont de celles-là.

Jésus dit à Mimi: «Ma chère petite épouse tant aimée, Moi aussi J'ai hâte de te recevoir pour toujours. Crois-le, c'est avec regret que Nous sommes obligés de prolonger tes jours sur la terre. Le nombre d'âmes que tu dois aider est fixé par Notre Père, car les âmes confiées à l'âme victime sont illimitées.

«Les âmes s'achètent très cher et plusieurs sont sauvées par un long martyre. Chaque âme victime a une mission à remplir. Cette mission varie selon le cœur de chacun et selon Nos desseins sur elle. Pour toi, ta mission est de faire connaître Notre Amour dans la souffrance par une plus grande intimité. Il te faudra aller jusqu'au don total de toi-même. Sois sans crainte puisque Nous ne faisons qu'Un. C'est facile pour toi de faire connaître Notre Amour!»

Mimi connaît dans sa chair, dans son cœur, dans son âme cette demande de son Bien-Aimé. C'est graduellement qu'Il l'associe à cette immolation sur la Croix pour le salut de l'humanité. Elle en prend une conscience si évidente que rien au monde ne pourrait la faire dévier de cet appel de Jésus!

Qui, en entendant la voix de Jésus, se refuserait à Le suivre jusqu'à la Croix? Il ne faut pas demeurer au pied de la Croix, mais sur la Croix. Mimi dans un acte d'amour, donne un *oui* plénier! «Je veux faire Ta Volonté. Être sur la Croix; souffrir avec Toi; aimer avec Toi. Cette rédemption voulue par le Père et accomplie par Toi Jésus, je veux y être associée.»

Mimi a vu la beauté d'une âme; elle en connaît le prix! Elle sait dans son cœur qu'on ne refuse pas à Dieu une telle offrande.

Consoler le Créateur et le Sauveur du monde, même si cela paraît incohérent... Cela ne l'était pas pour elle. Marie lui en a parlé. Le Père nous aime tellement qu'Il épouse nos souffrances et notre pauvreté par la passion, la mort et la résurrection de son Fils.

«Ce sont nos souffrances et nos péchés qu'Il portait.»

Tout ce que fait Mimi est par «Amour». Le plus petit acte d'amour sauve une multitude d'âmes. Joie et peine, lumière et ténèbres se transforment sous la puissance de l'Amour et devient Résurrection.

Elle écrit au Père Janko: «Je vous offre au Père, avec Jésus, comme prêtre et victime à chaque Eucharistie. Il y a des moments où je ressens votre maladie, mais surtout votre angoisse et vos craintes. Cette purification n'est pas seulement pour vous, mais pour d'autres afin de coopérer avec Jésus pour sauver le plus d'âmes possible.»

Ô mon Dieu, je ne suis pas digne d'une telle mission!

Père Guy Girard m.s.a

Le feu et l'eau bénite

Ce sont deux éléments qui font peur. Le feu détruit tout sur son passage et ne laisse que dévastation! L'eau entraîne avec elle tout ce qui lui fait obstacle et se retire! Pourtant les deux sont fort utiles et nécessaires.

Un jour, la maison adjacente de l'appartement de Mimi est en feu! Le feu court et déjà le balcon arrière est rouge et noir. Les secouristes prennent Mimi dans leurs bras, car elle marchait très difficilement et la descendent pour la sauver. Elle leur dit: «J'ai de l'eau bénite sur moi, laissez-moi bénir la maison.» Et sans attendre, elle asperge de quelques gouttes le brasier, les flammes et le vent. À la surprise générale, le vent change de direction et le feu s'éteint rapidement. Les pompiers sont heureux d'avoir contrôlé l'incendie et s'empressent de ramasser les débris, les résidus et la cendre.

On remonte Mimi à son appartement. Elle remerciait Dieu de Sa Miséricorde quand elle entendit la petite voix: «Va voir sur le balcon arrière... Il n'y a aucune cendre, aucune suie sur les planches...» Elle obéit à la voix et constate que la voix dit vrai. C'était inexplicable, car la saleté était partout. C'était simplement un des petits miracles quotidiens...

J'ai le goût de vous raconter un autre événement qui se présentait souvent.

Nous sommes en hiver et j'ai célébré l'Eucharistie dans le petit sanctuaire de Mimi. Après les prières d'action de grâce, je me prépare à partir, Mimi m'indique une voiture stationnée dans la neige et qui ne parvient pas démarrer! Elle me dit: «Va l'aider, je vais prier! Marche dans ta foi!» Je descends l'escalier en me posant bien des questions. Je dis au Père Éternel: «Je veux marcher dans la Foi de ma mère... Elle est plus forte que la mienne.»

Avec assurance, je me voir proposer à cet inconnu de faire démarrer la voiture. Il me confie les clefs et la voiture démarre immédiatement. Il me remercie, un peu étonné, il est vrai.

Combien de fois n'ai-je pas accompli cette tâche en sachant que le Père Éternel est toujours heureux de faire plaisir à Sa servante en m'aidant à devenir Démarreur de voiture...

Et quand, levant la tête vers le troisième étage, je voyais Mimi me faire un signe, je savais qu'elle me disait: «Tu vois, cela a fonctionné et le monsieur est content.»

C'est ainsi que j'ai appris que Dieu le Père est près de nous et que je devais l'invoquer pour mes misères quotidiennes.

La joie de Dieu est d'être avec les enfants des hommes.

Béni sois-tu, Père, de nous avoir créés!

Père Armand Girard m.s.a

Tentation et suicide

Souvent l'on croit que chez les mystiques les tentations sont absentes et que jamais ne vient à leur esprit l'idée du suicide. Leur amour de Dieu étant un rempart contre cette obsession.

Mais dans la vérité que l'on doit à nos lecteurs, il faut avouer que celui ou celle qui avance dans la vie spirituelle devra affronter l'impensable: la montagne du désespoir!

Mimi attachée au cœur de Dieu accepte de nous livrer ces combats.

C'est le matin, la journée est un peu sombre et je viens lui donner son Dieu dans la célébration eucharistique.

Elle me dit: «J'ai passé une nuit affreuse! Au cœur de ma détresse, je me suis avancée sur le balcon arrière... j'étais au troisième étage et le vide m'attirait comme Dieu seul peut attirer. J'entendais la voix du malin qui me disait: «Quelques secondes suffisent et tu serais délivrée de tout ce qui t'empêche de jouir de la vie! Tu es esclave de ta foi! Tu dis croire, mais ton cœur est gonflé par le doute! Si Dieu t'aime comme tu le prétends, Il viendra te sauver avant que tu ne t'écrases sur le ciment. Va! Sois sans crainte, je peux t'aider par une légère poussée. Si tu as peur du vide qui serait pour toi une plénitude, prends les sachets dans ta pharmacie et avale tout, en les offrant à Dieu! Ce serait ton dernier acte d'amour envers ton Bien-Aimé.»»

Ces tentations ne cessent d'affluer à l'esprit. L'enfer semble envoyer ses légions pour tromper la servante du Père Éternel. C'est un combat qui dure des heures et des heures, insinuant cette certitude qu'il n'y a pas d'issue possible. Mais soudain, au milieu de cette brume opaque, une lumière resplendit:

«Je suis la Mère de Dieu, ne crains pas, abandonne-toi dans les bras du Père! Tu seras délivrée!»

Et soudain, au milieu de la nuit, les étoiles s'allument les unes après les autres venant offrir à la servante du Père la lumière suffisante pour continuer la route.

Je comprends ce néant qui provoque le vertige! Je sais que vivre broyé par les tentations ressemble à l'enfer et qu'il semble mieux d'en finir avec cette vie qui brise l'âme et le cœur.

Mais attendez le Cri de Dieu! Enivré de l'amour de Sa créature, Il l'éclaire et la tient sur son Cœur.

Ô bienheureuse tentation qui élève l'abandon jusqu'au ciel! Tu deviens grâce. Tu es même source de grâces!

C'est le prix de la lumière!

Père Armand Girard m.s.a

Maternité spirituelle et physique

Il est assez facile de parler de la maternité spirituelle. Celle qui est la plus connue est celle de Marie. Jésus nous donne Sa mère alors qu'Il est encore cloué à la Croix: «Jean, voici ta Mère» et «Marie, voici ton fils.» La maternité de Marie est unique et est inscrite dans le plan du salut. La Mère de Jésus nous gardera toujours dans Son amour maternel.

Mimi exerçait une profonde maternité spirituelle. Il y avait chez elle le désir d'être mère, de cette maternité spirituelle pour les prêtres à l'exemple de sainte Thérèse de l'Enfant Jésus. Cet apostolat: être mère spirituelle ou Père spirituel peut être exercé par toute personne qui désire, dans le fond de son cœur, travailler à conduire l'humanité vers son Dieu.

Mimi exercera cette fonction de façon spéciale, d'abord au plan spirituel. Mais le Père Éternel nous surprendra par le fait suivant dont je vous fais narration.

Un jour, je rencontre Jeannine Brasseur, une femme de quarante-trois ans. Elle est enceinte et songe à se faire avorter. Cette personne est profondément croyante, de même que son époux. Mais ils ont déjà eu deux enfants atteints de maladie héréditaire[21]. L'un de ces enfants est mort en bas âge. Pour le deuxième, les médecins lui donnent une espérance de vie de trente ans. Jeannine ne se voit pas conduire cette grossesse à terme. Elle se confie à moi et je l'invite à venir rencontrer Mimi. Entre ces deux femmes, l'une âgée de 69 ans et l'autre de 43 ans, s'établit une profonde amitié. Mimi lui dit: «Jeannine, je vous aiderai à porter votre enfant.»

C'est tout. Et c'est cela!! Les deux marchent dans la foi et la confiance. Pour ma part, je me dois en conscience de faire suivre ces deux personnes par des médecins qualifiés. Elles sont donc suivies tous les mois par le docteur Maria Duran, néphrologue. Celle-ci observe, à sa grande surprise, que Jeannine et Mimi vivent les mêmes changements physiques et physiologiques. Elle constate que les malaises qui accompagnent une grossesse sont identiques. Les nausées, les maux de tête, la fièvre, l'œdème des jambes, le grossissement de l'abdomen, la fatigue et la lassitude sont présents chez l'aidante et l'aidée.

À ma demande, le docteur Duran établit un tableau comparatif entre Mimi et Jeannine. Tous les symptômes correspondant à une grossesse de six mois et demi sont constatés.

Je me souviens que le docteur Maria Duran, le docteur Albert Guerraty, cardiologue, et Jeannine prièrent devant l'Alliance incrustée dans le corps de la petite servante du Père. Ils demandent tous les trois que cet enfant naisse sans aucun problème génétique. Voici le texte de la prière faite par Jeannine:

«Père très Saint, je Te demande par le Cœur Immaculé de Marie et par le Cœur de Jésus, ainsi que par l'Alliance que Ton Fils Jésus a passée avec

---

[21] Cystinose: La cystinose (est une maladie métabolique rare caractérisée par l'accumulation de cystine dans différents organes. La cystine s'accumule et forme des cristaux qui détruiront progressivement la cellule. La cystinose fait partie des nombreuses «maladies lysosomales». Les organes les plus précocement atteints sont le rein et l'œil, puis sont progressivement touchés la thyroïde, le pancréas, le foie, la rate, les muscles et enfin le système nerveux.

Son épouse Mimi, de m'accorder la grâce que mon enfant soit en parfaite santé physique, morale et psychologique et que cet enfant, consacré à la Vierge, soit la gloire du Père Éternel. Amen!»

Jeannine vient un jour à Montréal, inquiète, angoissée, car depuis deux jours son enfant n'a pas bougé. Mais dès que Mimi commence à parler, l'enfant bouge dans le sein de sa mère.

Pendant toute cette grossesse, Mimi a beaucoup souffert, sans jamais perdre son sourire. Cette maternité spirituelle avec connotation physique est exceptionnelle. Pour moi, c'était la première fois que j'observais cette grâce.

Jeannine donna naissance à une jolie petite fille sans aucun problème de santé. Mimi reprit sa taille normale et loua Dieu pour tout ce qu'Il avait fait de merveilleux.

Je termine en vous disant que tous les examens médicaux durant la grossesse de la maman ont été consignés en détail. Il en fut de même pour Mimi. Les analyses chez l'enfant furent faites avec la même rigueur médicale et scientifique. Devant les résultats, chacun de nous était dans la joie. Quelle intervention de Dieu dans une vie humaine!

Cet événement se répéta trois fois dans la vie de Mimi.

Offrez votre étonnement à Dieu!

Père Armand Girard m.s.a

Couronne d'or dans le calice

Le 26 juin 1984, j'ai vécu une grâce spéciale au moment de la Célébration Eucharistique chez Mimi. Voici ce que j'ai vu et écrit alors:

«Au moment de se préparer à boire au Précieux Sang... nous avons vu un prodige de grâce et de Miséricorde s'accomplir sous nos yeux. Je sais que jamais les mots humains ne pourront décrire cette grâce qui nous fut accordée!

«Le calice de mon ordination sacerdotale est une coupe d'argent martelé avec un pied de céramique bleu; l'intérieur doré contenait le Précieux Sang de Jésus. Sur l'indication de Mimi, je regarde ce qui se passe... le vin consacré au Précieux Sang forme une couronne à l'intérieur du calice. Cette couronne a environ un quart de pouce de largeur... elle fait le tour intérieur au complet... Elle est d'un rouge vermeil extrêmement précis. À l'intérieur de cette couronne vermeille, le vin consacré a sa couleur naturelle, quelque peu jaune doré... ce cercle est de la grandeur d'une grande hostie. La couronne se détache avec une netteté incroyable... Je ne sais quels mots utiliser pour en donner la couleur! Que Jésus me pardonne... je la décrirai donc ainsi: la couleur du Précieux Sang qui compose la couronne est d'un rouge vermeil, mais illuminée de l'intérieur... c'est comme des rayons d'or lumineux qui vivent dans ce Sang Précieux. C'est comme le sang d'un vivant RESSUSCITÉ... Je ne peux dire autrement... Je vois devant mes yeux le Sang du Christ ressuscité, glorieux, vivant... Il y a une VIE dans ce sang... C'est un Sang glorieux... un sang qui a VAINCU LA MORT. Ce miracle dure sûrement beaucoup de temps... 20 à 30 minutes. Mais c'est comme si tout a eu lieu en quelques instants.

«Croyant que c'est la lumière qui fait cette couronne... je change à plusieurs reprises le calice d'endroit, afin d'être certain que la lumière ne joue aucun rôle... Ma mère spirituelle le prend dans ses mains... l'approche de son cœur et la couronne s'agrandit... elle l'approche de l'Alliance et la couronne s'agrandit encore. Je lui demande de faire toucher le calice à l'Alliance. Le sang de l'Alliance, marqué au corps de Mimi, et celui dans le calice sont toujours identiques... tantôt je tiens le calice... tantôt Mimi le tient... Une crainte respectueuse m'envahit... Je me vois indigne et pécheur devant cette grâce d'une infinie miséricorde.

«Je crains que tout s'évanouisse. Je replace le calice sur le petit autel... et là, placé au centre... la couronne vermeille et remplie de luminosité disparaît... Le Précieux Sang a les apparences du vin...

«Mimi fait une courte invocation et à nouveau cette couronne de sang vermeille, vivante de résurrection et diamantée de paillettes d'or, reparaît avec cette même luminosité... Oh! Jésus nous ne pouvions qu'adorer dans le silence. Je tiens ma mère spirituelle appuyée sur mon épaule... nos regards sont rivés au Précieux Sang... le temps n'existe plus. Les jours suivants, Mimi me dit que le Père Éternel demande que cette vision soit nommée avec respect: Vision béatifique.»

Le 3 avril 1985, durant la Semaine Sainte, une fois encore le Père Guy et moi étions ensemble pour célébrer l'Eucharistie. Nous l'avons préparée par la prière. Le Père Guy préside la Très Sainte Messe. La couronne de Sang Précieux paraît comme toujours dans le calice... Cette couronne est une Vision béatifique à laquelle il ne faut pas nous habituer. C'est le signe très clair de la couronne du martyre que nous aurons tous un jour. Nous en remercions le Seigneur, mais je crois que sur ce point, nous devrions tous approcher cette couronne près de notre cœur! C'est toute la Cour Céleste qui est agenouillée dans une immense adoration… En plus du miracle de la transsubstantiation, il y a le miracle de cette couronne du Sang Précieux au centre du calice!

Ici nous voyons clairement que les merveilles de Dieu s'accomplissent dans les plus humbles demeures. Dans le petit sanctuaire, perdu au milieu de cette grande ville de Montréal, se trouve la bougie qui éclaire et offre l'oxygène nécessaire à ceux qui suffoquent et dont le cœur ne demande qu'à battre pour glorifier le Père de toute Miséricorde.

Que le Sang Précieux de Jésus nous purifie!

Père Armand Girard m.s.a

Medjugorje un sanctuaire

Perdu entre les montagnes, ce petit village de Bosnie Herzégovine est devenu une Terre bénie. On l'aurait cherché longtemps si la Vierge Marie n'était pas venue choisir ce petit coin de l'ex-Yougoslavie communiste qui deviendra libre par grâce de Dieu.

En 1933, on avait érigé une immense croix sur la montagne, le Krizevac, derrière l'église. Sa construction avait demandé aux villageois des centaines de voyages à travers rochers et buissons d'épines, le dos chargé du ciment nécessaire à la construction de la croix de Medjugorje. De tout là-haut, la grande église du village construite en 1969, semblait bien seule et perdue dans la vallée avec ses deux clochers. Pourquoi fallait-il une église aussi immense dans un si petit hameau?

C'était prophétique, car douze ans plus tard, en 1981, les apparitions quotidiennes de Marie Reine de la Paix verront cette église, surgie du sol comme un arbre oublié, devenir bien vite trop exiguë pour accueillir les quarante millions de pèlerins[22] venus rencontrer leur Mère du Ciel.

---

[22] 2013.

En 1984, mon frère et moi revenons de Medjugorje. Dans nos cœurs, nous portons une question: y a-t-il un lien entre les événements qui se vivent à Montréal et ceux qui se passent dans ce village? Et si oui, quel est-il?

Une réponse est donnée à Mimi: «Pourquoi t'aurais-je inspiré d'offrir ta vie pour témoigner de l'authenticité des apparitions de la Vierge à Medjugorje?» Cette réponse donnée par le Père Éternel rappelle à nos cœurs l'offrande totale de Mimi faite durant la Semaine Sainte de l'année 1985.

Medjugorje était devenu son village de prédilection comme aussi le jardin secret de son cœur! Deux endroits où elle rencontrait la Belle Dame des Cieux. Désormais, la prière de Mimi s'ouvrira à tout ce qui se passe en ce village qui s'offre au monde.

On vient de partout pour voir! aimer! se convertir! Mais aussi, on vient de partout pour ne rien voir! Ne pas aimer! Ne pas se convertir!

On rapporte dans son bagage ce que l'on cherchait ou ce que l'on ne cherchait pas: Je suis allé en pèlerin et j'ai prié… Je suis allé en visiteur et j'ai acheté…

Père Guy Girard m.s.a

Les visiteurs

Il y a tout d'abord le cardinal Paul-Émile Léger qui réquisitionne Mimi afin de prier et d'offrir ses souffrances pour la grande mission de Montréal!

Il y a le cardinal Paul Grégoire qui la fait demander à son chevet à l'hôpital et qui ensuite, dans une grande sérénité, quitte ce monde pour rencontrer son Dieu.

Et tant d'autres personnes qui sont venues visiter celle qui ne sortait pas! Rencontres discrètes d'où on repartait comblés et surpris de tant de grâces. Mimi répond au devoir que lui impose le Père Éternel, qui lui en donne la force.

Parmi tous ces visiteurs, il est important de mentionner les personnes venant de Medjugorje ou rattachées de près ou de loin à ce petit village. Mimi les avait adoptées dans sa prière.

Je me rappelle de la visite du Père Slavko Barbaric qui avait demandé explicitement de venir célébrer l'eucharistie chez elle. Il sera celui qui ouvre la porte à d'autres visiteurs de Medjugorje: les Pères Tomislav Pervan, et Svetozar Kraljevic.

Je revois la voyante Vicka tenant la main de Mimi pendant la célébration eucharistique: la mère et la fille réunies dans un même mystère, s'offrant au Père par Jésus et Marie Reine de la Paix.

Quelque temps après, ce sera le voyant Yvan Dragicevic qui lui rend visite. Il vit l'apparition de Marie dans le petit sanctuaire dédié au Père Éternel et dans lequel Mimi se retire souvent pour prier et causer avec son Bien-Aimé Jésus.

Daria Klanac, une amie que Mimi aime beaucoup, sera un lien important entre Mimi et Janko Bubalo. L'abbé René Laurentin la visite à plusieurs reprises lors de ses voyages au Canada. Daniel-Ange, Jean Vanier, Myrna de Soufanieh de Syrie, Sœur Bénédict et Sœur Emmanuelle de Medjugorje viennent la rencontrer et prier avec elle. Pierre Jovanovic, journaliste à Los Angeles et au *Matin* de Paris, auteur de *Enquête sur l'existence des anges gardiens* questionne beaucoup Mimi et repart avec un carnet de notes bien rempli.

Tous sont des demandeurs de prières, de protections et surtout de lumière. Souvent, on venait avec une peine et on repartait avec une joie!

Père Armand Girard m.s.a

Vision de Marie

Si Jésus se manifeste souvent à Mimi par des locutions intérieures, la Vierge Marie ne peut faire autrement que de la visiter. Elle vient la voir comme elle l'a fait à Lourdes avec sainte Bernadette Soubirous et à Fatima avec Jacinthe, François et Lucie. Son directeur, le Père Armand écrit:

«Après des prières, nous t'avons fait asseoir et ta Mère du Ciel vint te visiter! Tu demeures plusieurs minutes dans l'extase que te procure la vision de la Vierge... Quand tu Lui demandes de venir Elle-même chercher nos offrandes comme prêtres et victimes, Elle vient... puis Elle repart... Alors tu pleures beaucoup comme un enfant qui a perdu sa mère.

«Nous avons essayé de te consoler, mais tes larmes sont intarissables! Nous t'avons dit que tes larmes étaient agréables à Dieu et consolaient la Très Sainte Vierge Marie. Tu nous as regardés et tu as remercié Marie. Elle était venue essuyer tes larmes de peine et de joie. La tristesse et la joie sont des sœurs jumelles! Étrangement la tristesse fait sourire parfois, comme la joie fait pleurer aussi.

«Un jour, alors que je célèbre la Messe en la fête du Saint-Sacrement du Corps et du Sang de Jésus, la Sainte Vierge Se manifeste à toi avec tellement de clarté que tu me dis: «Regarde... Elle est là!»»

Le Père Armand écrit: «Si la Vierge Marie te fait attendre pour partager la joie de La voir, c'est qu'Elle a un but: «nous former un cœur de désir.» Le désir mesure la grâce. Il imprime en nous, peu à peu, lentement, le visage du visiteur.»

Une autre vision se manifeste à Mimi. Le fondateur de ma communauté, le Père Eusèbe Ménard, franciscain, était malade depuis quelques temps. Après avoir été hospitalisé, il était revenu à l'infirmerie de sa communauté. J'ai demandé à Mimi de prier pour lui, car il était en phase terminale. Elle n'avait jamais rencontré ce prêtre, ni eu en sa possession des photos de lui.

Le 26 mars 1987, mon fondateur que j'avais rencontré avec mon frère à plusieurs reprises, partit vers son Dieu.

Au moment où je célèbre l'Eucharistie dans le petit sanctuaire de Mimi, elle a une vision de Lui. Elle me le décrit avec beaucoup de précision et le voit dans son agonie, les traits brisés, la figure émaciée par la souffrance.

Le Père Eusèbe Ménard fut un véritable fils de François d'Assise! Sa communauté avait donné plus de 1000 prêtres à l'Église...

Père Guy Girard m.s.a

Incarnation mystique

Cette grâce de l'Incarnation mystique est d'une suprême rareté et c'est une transformation dans le Christ reçue en germe dans le baptême. Vouloir vous parler de ce privilège qu'a reçu la servante du Père Éternel donne le vertige!

Mimi a reçu cette grâce insigne de ne plus faire qu'UN avec Jésus sur la Croix. Il a voulu nous le prouver en incrustant dans le corps de Mimi le signe de l'Alliance[23] dont on vous a déjà parlé.

Cependant le Père Éternel, dans la richesse de Sa Miséricorde, a continué à gratifier Sa servante. C'est comme s'Il avait été puiser, au plus profond de Son Cœur, le sacerdoce de Son Fils pour le donner à celle qu'Il aime d'un Amour indéfinissable. Cette grâce est celle de l'Incarnation mystique.

C'est en regardant le sacerdoce de Marie au pied de la Croix que Mimi a compris le sacerdoce auquel Dieu l'a investie et qui a été pour elle une grâce qui dépasse tout ce qu'elle peut croire ou imaginer.

Le 18 mai 1984, je me rends chez Mimi pour célébrer l'Eucharistie. Je porte encore l'immensité de la grâce que Mimi avait reçue. Il est donc

---

[23] Voir page 73.

nécessaire pour moi de plonger dans cet océan d'Amour, car le mystère de cette incarnation mystique me submerge et je veux savoir.

Voici mon échange avec elle.

Père Armand: «Je t'ai demandé ce que signifie la Transsubstantiation et tu m'as répondu: «C'est le vin devenant le Sang de Jésus... C'est le pain devenant le Corps de Jésus.»

«Je t'ai demandé la différence entre le Précieux Sang à l'autel et le sang de l'Alliance dans ton corps? Tu m'as répondu qu'à l'autel, le changement au Sang du Christ se fait par les paroles de la Consécration... Que dans ton être, cette présence de Jésus est permanente. Ce serait également un fait «unique» dans l'univers... Tu as pleuré en prenant conscience des faveurs de Dieu à ton endroit!

«Rien dans la théologie ne nous parle de cela... peut-être y a-t-il dans la théologie mystique une approche timide quand nous parlons de «d'incarnation mystique» dans une personne.

«Dans tes veines et non seulement dans l'Alliance, le Sang Précieux de Jésus est là: Deux dans une même chair. Cette union de Jésus avec toi dépasse le mariage mystique... Ici je suis placé devant une réalité qui me dépasse... Ce n'est pas uniquement la présence de la Trinité dans ton âme... C'est Jésus réellement présent corps, âme et sang en toi... Cela dépasse l'entendement... Et pourtant je t'ai interrogée souvent, et je t'ai demandé de me donner la réponse de Jésus!»

Ce que j'ai compris des explications de Mimi, c'est que cette incarnation est une réalité mystique qui arrive dans l'Église, mais que très rarement. C'est l'offrande du Christ à Son Père et simultanément l'offrande de nous-mêmes avec Lui pour le salut de l'humanité.

Cette unique offrande se traduirait comme ceci: le Christ était seul sur la Croix à s'offrir à son Père en expiation de tous les péchés du monde.

MAINTENANT, Il s'offre avec nous et nous nous offrons avec Lui dans une oblation parfaite et humble de tout "l'amour du monde" vers le Père.

Cette offrande ne cessera qu'à la fin de ce monde.

Dans les dernières années de sa vie, Mimi est dans une offrande continuellement renouvelée de sa souffrance amoureuse. La Croix est sa gloire et sa lumière. Je l'entends me dire: «L'amour dans la souffrance par une plus grande intimité avec le Christ.»

La souffrance est l'expression suprême de l'Amour, la Croix devient l'affirmation éclatante de la valeur de cet amour. «Si Jésus n'est plus sur la Croix, je ne peux plus la regarder et m'y fondre» murmure Mimi.

Après avoir lu ce chapitre, il ne faudrait pas croire que cette grâce de Dieu nous conduit à aimer la souffrance. Celle-ci devra toujours être éradiquée de notre monde, comme Jésus l'a supprimée lors de Ses miracles. La Croix, paradoxalement, est devenue irradiante de beauté et cause de notre Joie!

Père Armand Girard m.s.a

La transfixion

Lorsque cette expression se présente devant nos yeux, nous sommes un peu surpris et désemparés. Elle fait surgir à notre esprit la douleur. Croyant ou incroyant, nous voyons déjà le cœur du Christ transpercé.

Cependant, il nous faut aller plus loin et voir ce que signifie réellement ce mot: «transfixion», source de grâce dans la vie mystique. Dans le cas présent qui nous intéresse, celle qui en est gratifiée nous parlera elle-même de ce don répété de Dieu. La première fois que j'ai eu le privilège d'être présent lors de ce don, je suis au logement de la petite servante du Père et je fais l'action de grâce après l'Eucharistie.

De façon soudaine et spontanée, la flèche amoureuse de Dieu transperce le cœur de Mimi et le blesse. Elle dira: «Je sens que mon âme ne doit jamais cesser de remercier pendant que Jésus blesse mon cœur. Je Le remercie pour cette souffrance et je l'offre. À ce moment-là, il y a une très grande joie intérieure en mon âme et les plus grandes joies du monde ne peuvent s'y comparer.»

La transfixion du cœur est extrêmement fréquente chez Mimi, surtout durant l'Eucharistie et cela se produit aussi quand elle prie dans le silence de la nuit. C'est comme une flèche de feu très brûlante qui traverse le cœur. La douleur est d'une grande intensité et augmente quand ce dard est retiré. Cela me fait penser à un éclair dans la nuit qui perce le ciel en une fraction de seconde. Il y a la clarté aveuglante d'un filament irradiant tout l'être. C'est la magnifique phrase de saint Jean-de-la-Croix qui s'accomplit et qui revient à mon esprit: «Seigneur, blesse-moi d'une blessure qui ne peut être guérie qu'en étant blessé à nouveau.»

Cette blessure qu'elle désire, elle ne la demande jamais, afin de se protéger de toute recherche personnelle. La souffrance rédemptrice qu'elle contient est offerte pour le salut du monde et, à la demande du Père Éternel, elle l'offre aussi pour l'authenticité des apparitions de Medjugorje.

Lorsque le Père blesse son cœur par la transfixion, Il nous accorde souvent à Guy et à moi d'être témoin de cette indéfinissable grâce qui se répète souvent. Mimi m'a décrit cette grâce de façon différente afin de mieux me faire saisir son ampleur. Elle me redit: «C'est comme une lance qui traverse le cœur profondément, comme la foudre, cette lance est tournée dans le cœur… C'est une douleur indescriptible qui semble conduire à la mort, c'est par la suite brûlant comme le feu. Et alors, dans l'âme existe un désir d'être encore blessé avec plus de véhémence.»

Dans sa correspondance, nous pouvons lire et savourer ces phrases merveilleuses jaillissant de son cœur: «Jésus blesse mon cœur, en me demandant de rester avec Lui dans ce cœur blessé.» – «Garde confiance dans l'Amour qui blesse. Et ces blessures ne se soignent qu'avec d'autres grandes blessures.»

Je terminerai en disant que ces grâces si nécessaires à l'Église se sont produites des centaines et des centaines de fois. Un jour que son médecin, le docteur Fayez Mishrik était venu la voir et qu'il priait avec elle, la transfixion se produisit et il eut le réflexe de prendre sa pression et son pouls.

Il écrit: «Mimi a éprouvé subitement une douleur violente à la poitrine. Elle a été tellement saisie par cette douleur subite et intense que je l'ai vue projetée de plusieurs centimètres par en arrière. Alors qu'elle se serrait la poitrine, je me suis précipité pour prendre ses signes vitaux et j'ai constaté à ma grande surprise que ni son pouls ni sa tension artérielle n'avaient dévié de la normale, alors que visiblement, elle manifestait de grandes difficultés à respirer.

Son médecin continue: «Aussitôt qu'elle fut saisie par cette douleur, j'ai pu l'entendre remercier Dieu et offrir continuellement ses souffrances pour l'Église, pour les prêtres et pour Medjugorje, afin que les apparitions soient authentifiées. Georgette continuait son offrande et par moments la douleur reprenait son intensité initiale pour enfin céder après une dizaine de minutes environ. Cette douleur si forte semblait surpasser l'agonie de l'infarctus du myocarde.»

Ô mystérieuse blessure qui nous vaut un tel amour!

Père Armand Girard m.s.a

Mirtha, ô Mirtha

20 juin 2012: c'est la première journée chaude de l'été. Avec mon frère Armand, nous nous promenons dans le jardin de notre maison de retraite, la Maison Basile Moreau. Il me parle du magnifique chant *Mirtha ô Mirtha*.

Et nous nous rappelons l'origine de ce chant donné par le Père Éternel à Mimi pour la paroisse de Medjugorje le 26 février 1986. Un chant qui deviendra une prière.

Pourquoi Medjugorje? Parce que cette paroisse a été fidèle aux demandes de la Vierge Marie Reine de la Paix et qu'en ces jours de 2012, elle s'est agrandie pour devenir universelle en faisant naître partout de petites églises domestiques.

1984: nous revenons d'un pèlerinage à Medjugorje qui nous a permis de vivre une expérience exceptionnelle. Vingt-huit ans plus tard, il nous faut regarder ce qui se passait à cette époque à Montréal dans la vie de Mimi.

En effet, deux personnes, dont la vie spirituelle est exceptionnelle, sont au cœur de ces événements. Il y a la mystique Georgette Faniel (Montréal) et le Père Janko Bubalo, lui aussi béni de Dieu qui demeure à Medjugorje (Bosnie Herzégovine).

Mimi écrit au Père Janko: «Ce lien spirituel que Dieu a placé et déposé entre nos âmes n'est pas l'effet du hasard, nul ne peut le déplacer. Par cette union dans la souffrance, nos âmes sont unies.»

Leur même regard est fixé vers Marie Reine de la Paix, et vers la Trinité. Et si ces deux mystiques marquent le «fait Medjugorje», il a fallu un LIEN entre eux qui a permis ce merveilleux courrier spirituel qui illumine toute la seconde partie de ce livre. Et la source de ce lien c'est un chant donné à Mimi par le Père Éternel.

Nous sommes en 1986. Mimi prie le *Je vous salue Marie*, ainsi que d'autres prières dans une langue que pourtant elle ne connaît pas. «J'entends les mots au niveau du cœur et de l'oreille; je les dis ou je les chante comme je les entends. Tout est indépendant de ma volonté.»

Mimi demande donc au Père Éternel dans quelle langue elle parle ou chante et le 26 février 1986, il lui donne une réponse: le chant, dont les premiers mots sont *Mirtha ô Mirtha*, est en croate et rend hommage au Père Éternel par Marie. Les prières récitées sont en araméen et rendent hommage à Jésus et à Marie. Concernant le chant, le Père Éternel demande que la traduction soit faite par l'auteur du livre: *Je vois la Vierge*[24]. Ce prêtre, c'est Janko Bubalo o.f.m.

Ce chant sera un double cadeau pour la paroisse de Medjugorje: il devient une prière récitée et la mélodie confirme un lien spirituel entre le Père Janko (Medjugorje) et Mimi (Montréal).

Sans l'aide de la Vierge Marie, Mimi ne pourrait pas chanter ce qu'elle entend, tant sa santé physique est perturbée. Elle dit: «Je n'ai aucun mérite, car je perçois nettement cette voix qui chante comme totalement étrangère à moi. Je perçois cette voix très douce, très jeune et je réalise vraiment que Marie se sert de la pauvre servante que je suis pour louer le Père Éternel.»

---

[24] Titre de l'édition croate.

Le premier mars 1986, l'Esprit Saint inspire la notation musicale du chant. Elle entend la mélodie et le Père Armand l'écrit selon ce que Mimi lui indique.

Quand le Père Janko écoute la mélodie qu'on lui a envoyée, il nous écrit: «En découvrant la mélodie du chant, je me suis aperçu d'un fait extraordinaire! La mélodie est identique à celle de mon chant *Devant ma Madone.*»

En effet, non seulement le texte du Père Janko s'accorde totalement à la mélodie inspirée, mais celle-ci apporte au texte une valeur remarquable par les mesures et les tons.

Comment expliquer qu'une mélodie écrite par deux personnes ne s'étant jamais rencontrées, ne se connaissant pas, demeurant à des milliers de kilomètres l'une de l'autre, ne parlant pas la même langue, soit identique? C'est cette mélodie qui est à l'origine de la correspondance entre Janko et Mimi. Elle est don de Dieu et don de Marie Reine de la Paix.

Père Guy Girard m.s.a

Mirtha ô Mirtha

Paix, ô douce Paix,
Sois notre espérance.
Reine de la Paix,
Reçois notre louange.
De tous dangers, protège-nous!
Dans les combats,
Reste avec nous!
Pour glorifier le Père Éternel,
Donne-nous Ton Amour.

Ô Trinité Sainte, avec
notre Mère,
Acclamons la Miséricorde,
La Puissance de
Votre Éternel Amour.
Marie, Reine de la Paix,
Entends la prière de Tes enfants de la terre,
Te suppliant de leur donner
la Paix.

La Croix Glorieuse

Ce que je vais vous raconter est un événement que je ne peux oublier et vous le dire est pour moi un devoir.

Un phénomène se produisait dans l'appartement de Mimi. C'était un arc-en-ciel qui apparaissait sur le mur de sa chambre à coucher. Je l'avais vu avec d'autres personnes qui venaient chez elle. Mais nous n'y prêtions pas attention.

Pourtant, finalement intrigué, car la chambre n'a aucune fenêtre et est située au centre de l'appartement. J'apporte ma caméra pour prendre une photo. Mais avant, nous vérifions d'où proviennent ces couleurs. La chambre ouvrant sur le salon où il y a un miroir peut être une explication de la décomposition de la lumière. J'enlève donc le miroir et tout ce qui aurait pu être une réponse à nos questions.

L'arc-en-ciel est toujours présent... Je prends un crucifix que j'avais apporté de Medjugorje et je le tiens par la base dans mes mains. Je le place devant la caméra près du mur blanc où apparaissait l'arc-en-ciel. Le Père Guy prend la photo.

A cette époque, nous cherchions ce que nous devions prendre pour la page de couverture du livre *Marie, Reine de la Paix, Demeure avec nous*[25]. Le docteur Fayez Mishriki, médecin de Mimi, admire la photo et s'exclame: «Mais pourquoi ne prenez-vous pas cette photo pour votre livre? Il y a la colline, la Croix, le Christ, l'arc-en-ciel, les couleurs.»

Je soumets cette photo à Antoine Pépin[26] pour la maquette de la couverture en lui demandant de décrire ce qu'il y voit: «De nouvelles prémices sont offertes à Marie aux couleurs du ciel et aux saveurs de la Foi. La beauté exceptionnelle de la photo crée une atmosphère de silence et de contemplation. Sur le fond brun-terre s'élève la Croix illuminée par les couleurs de l'arc-en-ciel. Du corps de Jésus fixé à la Croix, nous voyons les bras tendus, dans le geste de l'offrande. La souffrance infinie de Dieu échappe à nos regards humains et pourtant la lumière éclaire la Croix et le Crucifié. La séquence du violet au bleu, du jaune au rouge, montre le cœur souffrant de Jésus et de Sa Mère s'ouvrant déjà à la Résurrection. La vérité de la Croix a ses racines sur le Golgotha.

«C'est par elle que Dieu dévoile Son Amour irrésistible et offre à l'humanité une authentique promesse de Vie. L'arc-en-ciel avec la délicatesse de ses couleurs rappelle la présence discrète de Marie au pied de la Croix dans Sa mission de Mère. Elle est la *Porte du ciel*. Le brun-terre révèle la complexité de l'histoire de l'humanité déchirée entre l'angoisse et l'espérance.

«La fusion très délicate entre la souffrance de la Croix et la lumière de l'arc-en-ciel reflète la fidélité de Dieu le Père envers l'humanité par l'immolation de Con Fils.

«Le Christ Sauveur demeure le centre entre le ciel et la terre alors que Marie Reine de la Paix livre Son message de sacrifice, de prière et d'Amour au secours du peuple qui tombe et cherche à se relever. Cette photo nous rappelle magnifiquement Medjugorje!»

Le Père Éternel nous donnait la réponse!

Merci Père, de ce message! *Père Armand Girard m.s.a*

---

[25] Editions Paulines & O.E.I.L., 1987 et Editions Jelsa pour la version croate.
[26] Auteur d'ouvrage religieux, Montréal.

Guérison et foi

Le chemin de la foi est le chemin de Mimi. Elle marchera toujours avec détermination pour augmenter cette vertu fondamentale de la vie spirituelle.

Combien de fois, elle nous disait devant nos hésitations: «Il te faut marcher dans ta Foi!»

Je vous raconte ce miracle que j'ai vu se dérouler devant mes yeux. Cependant, lecteurs, n'y voyez pas seulement une belle histoire. Pour moi qui l'ai vécu, je vous dis: c'est une page d'Évangile!

Le 20 janvier 1988 allait être un jour que je ne pourrais oublier. Mimi partagera ce fait avec le Père Janko. Ce sera une joie pour son cœur. Voici ce qu'elle lui écrivit:

«À 9h15 du matin, j'étais atteinte d'une paralysie du côté droit. Je ne pouvais pas parler, émettre à peine des sons. Incapable de bouger les membres du côté droit. Cela a duré jusqu'à 17h15 de l'après-midi. Pendant cette période, j'offrais tout à Dieu, demandant à Marie de m'aider, de me soutenir.

«Malgré les bons soins, il n'y avait rien pour me soulager. Vers 17h00 le Père Armand vint me rendre visite, pour m'aider à tout offrir, et prier.

Alors qu'il se prépare à quitter le logement, j'entends ceci dans mon cœur: «Ma Bien-Aimée, reçois le Corps du Christ et tu guériras.»,

«Ne pouvant parler, je voulais demander la communion, mais impossible, aucune parole ni signe ne pouvait atteindre le Père Armand. C'est alors que je demande au Père Éternel et à Maman Marie de permettre que le Père Armand reçoive et entende ce que je venais d'entendre. Grand silence de prières ferventes.

«Avant de partir le Père Armand me bénit et à ma grande surprise, me dit: «Mimi, aimerais-tu communier, il me semble que cela te ferait du bien.»

«C'est avec les larmes et le cœur rempli de joie, que je faisais signe que *oui*. Après la communion où je n'avais reçu qu'une parcelle d'hostie, ne pouvant avaler facilement à cause de la paralysie, le Père Armand me dit: «Je dois quitter pour aller dire au Père Guy ce qui t'arrive et voir ce que nous devons faire. Chère Mimi continue de faire l'action de grâce avec Marie.» Il me donna sa bénédiction et chanta pour saluer Marie *Tu es toute belle, acclamée par les anges* et le chant *Mirtha ô Mirtha!*

«De nouveau il me bénit! Je lui répondis: «Merci, merci beaucoup je suis guérie, guérie complètement…», Père Janko c'est avec des larmes de joie que nous disions merci à Dieu et à Maman Marie. Oui, j'étais guérie, complètement, guérie par la communion et notre FOI en la présence réelle de Jésus dans l'Eucharistie!

«Je suis heureuse de vous faire partager ce grand bonheur. La délicatesse de Dieu se manifesta dans l'Évangile de ce jour où Jésus guéri un paralysé. En effet en ce 20 janvier 1988, saint Marc raconte cette guérison.»

C'était l'hiver, je suis parti de l'appartement de Mimi comme quelqu'un qui vient d'être aveuglé par une lumière de caméra. Je descends lentement l'escalier, le cœur rempli d'émotions. Dehors il fait froid, il y a des étoiles… je ne me comprends plus. J'ai pleuré avec Mimi, j'ai ri avec elle. Que s'était-il passé? Que devais-je retenir? Que devais-je oublier?

Dans ma tête... je revois la peine que j'ai eu en vivant l'invivable... Ça ne se pouvait pas qu'elle soit paralysée! Que nous arrivait-il?

Mimi bouge, pleure, rit... Que s'était-il produit? Le froid me ramène à la réalité et je veux partager tout cela avec mon frère Guy.

J'ai vu une FOI guérissante...

Père Armand Girard m.s.a

Nostalgie de Dieu

Combien de personnes sont brisées à cause de l'ennui. L'expression: «Je m'ennuie à mourir!» est la description d'un état d'âme rempli de tristesse. C'est la solitude qui tue et blesse les cœurs les plus puissants.

Une fois de plus, j'ai une confidence de Mimi. Elle me parle de la nostalgie de Dieu! «C'est une très grande grâce que Dieu me donne. Je suis à travailler ou à prier, je classe des vêtements pour les pauvres ou je me prépare à recevoir des gens. Tout à coup, l'ennui arrive dans mon être. Je n'ai pas connaissance du début, ni de la fin, je n'ai pas la connaissance de la durée. C'est comme un nuage dans l'âme, un voile ténu recouvrant le cœur. Une douleur qui suspend la respiration. Je dois offrir cette souffrance pour l'humanité, surtout pour tous ceux qui ne croient plus en Dieu ou qui ne connaissent pas encore l'Amour de Dieu. Je compare cette expérience à celui ou celle qui est dans un puits profond et qui voit la lumière, mais qui doit demeurer au fond du puits.»

Cet ennui de Dieu dépasse infiniment la perte d'un être cher. Elle est comme un couteau dans la gorge, un poids suspendu au cou... l'âme et le corps sont prisonniers et manquent d'oxygène. Il n'y a qu'un remède, c'est d'offrir tout à Dieu! En regardant le haut du puits, il y a la lumière qui offre à l'âme l'espérance d'être aspirée par l'Amour.

L'acceptation de cet état donne au monde des sources de grâces innombrables et purifie l'Église de ses péchés! Il me semble entendre Mimi crier: «Délivre-moi Seigneur, mais que Ta Volonté soit faite et non la mienne.»

L'humanité pécheresse reçoit des torrents de grâces qui déferlent sur elle et qui la lavent sans cesse. Cet état de purification est un trésor.

Dans la vie spirituelle, cette nostalgie de Dieu ouvre la voie à une identification totale et parfaite au Christ-prêtre. Ce qui est un ennui destructeur devient une marche qui nous fait monter davantage vers la perfection.

Celui ou celle qui a connu cet état et qui saisit l'importance de cette grâce l'acceptera toujours avec reconnaissance.

Père donne-moi cette grâce: la nostalgie de Dieu!

Père Armand Girard m.s.a

L'enveloppe mystérieuse

C'est entre le mois de décembre 1995 et les mois de janvier et février 1996 que Mimi me parle d'une expérience mystique qu'elle vit. Je vais essayer de vous décrire cette grâce dans les termes que Mimi utilise sobrement.

«Je me sens comme enveloppée mystérieusement. Cela arrive lorsque je suis assise dans ma chaise blanche, mais aussi quelquefois quand je suis debout. C'est comme si je respirais l'Amour au plus profond de mon âme. Je ne sens plus mes souffrances physiques, morales et spirituelles. Je me sens parfaitement bien, avec une profonde joie... ma respiration est parfaite, mon cœur bat parfaitement. C'est un grand calme, une grande sérénité. Je n'ai plus conscience de rien, pas même du temps. Je désirerais demeurer dans cet état et y mourir, mais en tout je veux faire uniquement la Volonté de Dieu.

«Cette expérience peut avoir lieu plusieurs fois dans une journée et être absente pendant d'autres jours. Dieu me fait comprendre aussi qu'une enveloppe entourait Jésus dans le sein de Sa Mère. Marie adorait d'abord Son Dieu en Elle avant de L'adorer dans Son humanité. Le placenta n'était pas humain... mais une enveloppe mystérieuse... une enveloppe divine.»

Mimi conclut en disant que les mots ne suffisent pas pour décrire cet état mystique, que les mots trahissent le mystère. L'attitude de l'âme est l'action de grâce!

Elle me dit: «Dès que je regarde l'image du Père Éternel qui me rappelle Sa présence, cet Amour m'enveloppe et m'étreint avec une telle densité que je crois mourir, et je n'ose respirer. Cela peut durer jusqu'à dix minutes et m'arrive plusieurs fois par jour.»

Je lui demande: «Est ce que cela t'arrive avec d'autres personnages du ciel?»

«Oui cela m'arrive souvent avec Marie, ma mère du Ciel. L'étreinte est différente, c'est plutôt comme un manteau qui m'enveloppe avec douceur et qui m'envahit de la même façon, mais avec une densité moindre. C'est comme si Marie avait la permission d'exercer la Miséricorde du Père envers moi. Mais je dois t'avouer que je ne peux jamais arriver à décrire très bien cette grâce que Dieu me fait. Je ne peux que remercier.»

Quand Mimi me parle de cette expérience avec l'humilité que je lui connais, parfois je demande au Père Éternel de me faire le témoin de cette grâce. Je ne le demande pas pour moi, mais pour l'Église.

La réponse est souvent positive et je remercie Dieu de me favoriser afin que mes pauvres mots enrichissent ceux qui liront ces lignes!

Père enveloppe-moi de Ton Amour Miséricordieux. N'oublie pas l'humanité qui désire Ton affection!

Père Armand Girard m.s.a

Expérience hors corporelle

L'expérience «hors corporelle» est un sujet qui a toujours interrogé les spécialistes et multiplié les écrits et les opinions différentes. Pour ma part, j'ai reçu cette confidence de Mimi et je ne l'ai pas contestée! Ma confiance était totale envers celle que Dieu m'a confiée.

Le 18 mars 2001, je retrouve dans mon courrier ce que j'écrivais à Mimi: «Je suis heureux que tu m'aies parlé de ce jour où tu as vécu une expérience spirituelle hors du commun. C'était au moment de la Messe que tu regardais à la télévision. À l'offertoire, tu t'offres comme victime à l'Amour Miséricordieux du Père Éternel par les mains de Marie. Soudain, tu te sens sortir de ton corps et tu te vois totalement inerte. C'est-à-dire que tu te vois debout dans tes vêtements bleus, tes cheveux blancs et les bras allongés le long de ton corps.

«Tu n'as plus aucune déformation de ta colonne vertébrale et la courbature très prononcée de ton dos a disparu. Tu n'as plus aucune douleur. Tu es dans un état de joie indescriptible et inimaginable. Tu te poses la question, comment revenir dans ton corps. Mais rien ne t'y force. Tu dis également que cette expérience t'a été donnée pour te faire voir ce qu'est la mort. Une joie immense!

«Tu es revenue dans ton corps sans t'en rendre compte. C'était à la fin de la Messe que tu regardais à la télévision. Il se serait donc passé vingt minutes depuis ton offrande jusqu'à la fin de la messe. Ce qui est à mon avis extraordinaire, car tu n'as pas eu connaissance du temps écoulé. Tu étais dans une très grande joie.»

Cela me fait penser à saint Paul qui décrit son expérience d'avoir été ravi jusqu'au septième ciel: «Était-ce avec mon corps ou sans mon corps, je ne le sais... Dieu seul le sait.»

Père Armand Girard m.s.a

La rencontre tant désirée

Mimi a accompagné plusieurs personnes arrivées au soir de leur vie. Elle a toujours eu les paroles et surtout la prière qui convenaient à celui ou celle qui regarde vers l'au-delà. Je me remémore parfois ces demandes précises que le Père Éternel lui livre:

«Va, accompagne et prie pour Paul... pour Madeleine... et les autres.» Et nous revenions ensemble de cette mission qui lui demandait un effort douloureux. Je devais ensuite l'aider à gravir chaque degré des escaliers menant à son appartement. Des marches étroites, raides, abruptes... une véritable escalade qui obligeait Mimi à se reposer à chaque marche!

Après cette ascension, elle perdait conscience. La petite bouteille d'éther la ranimait. Elle se retrouvait sur son lit. Mission accomplie...

Je ne peux m'habituer à la préparation de ces départs. Encore moins à savoir que j'aurai à accompagner ma Mère spirituelle. Pourtant Mimi m'a souvent dit: «Tu dois me conduire à la Croix!»

Je l'écoute, mais je ne veux pas comprendre. Pour moi, Mimi ne peut pas mourir! Elle est ma dirigée, mais elle est avant tout ma mère spirituelle! Même si je sens bien que Mimi est arrivée au crépuscule de sa vie, je ne veux pas voir le soleil couchant s'endormir. Ce n'est pas possible!

Et puis la réalité fait fondre mes rêves: au mois de juin 2002, Mimi est hospitalisée pendant vingt-sept jours à l'Hôpital Notre-Dame. Diagnostic: cancer de l'intestin. Les radiographies et les analyses se succèderont. Les spécialistes qui veillent sur ma Mère sont sereins et tout semble s'orienter pour le mieux. Cependant, un nuage apparaît dans le ciel déjà assombri. Il semble prudent d'avancer l'opération! La chirurgienne, Mimi et moi avons une réunion à ce sujet. La décision est prise. Mimi sera opérée le 25 juin. Elle relie cette date au grand mouvement de prières à Medjugorje.

À partir de cette annonce, j'ai l'impression que Mimi comprend que c'est la dernière étape de sa vie. Elle doit la vivre dans un abandon total comme l'enfant qui s'endort dans les bras divins qui la portent et l'ont enveloppée depuis sa naissance.

Et voilà que ma mère veut parler au prêtre que je suis et pour qui elle a tellement prié. Je l'écoute et je lui dis: «Petite Mère que j'aime tellement, je vais te donner l'Onction des malades et le Sacrement du Pardon. Tu as tellement conseillé ce remède pour avoir la paix du cœur, de l'âme et de l'esprit.»

Comme si elle s'enveloppait de Foi et d'Abandon, elle ferme les yeux pour entendre la voix de Jésus. À la fin de la réception du sacrement, elle me dit: «Je dis *oui* à cette opération, mais à la condition de sauver des âmes...»

Je lui dis qu'elle en sauvera des millions, mais qu'elle devait dire *oui*, même si elle n'en sauvait qu'une! Quelques instants passent et je lui dis: «Mimi, tu dois dire *oui* sans poser aucune condition, mais par pur amour.» Des larmes coulent de ses yeux! Le Père Éternel vient de lui dire: «Je veux que tu dises *oui* sans poser de conditions.»

Je suis dans la joie, car il y a dans le cœur de cette petite femme la souffrance offerte... et la brisure humaine qui est palpable... et d'autre part ce saut vertigineux dans le *oui* au Père Éternel. Je vois cette fusion des deux volontés se réalisant devant moi...

Le salut des âmes, le salut de l'humanité est dans son cœur comme dans le Cœur de Jésus. L'Amour infini du Père pour Son Fils n'a d'égal que l'Amour du Fils pour Son Père. Cet Amour est répandu sur l'humanité entière sans distinction. Le Cœur de Jésus va Se rompre comme le pain de communion, avant même d'être transpercé par le soldat.

Mimi connaîtra l'agonie du cœur, de l'âme et de l'esprit. Elle pleure sur ses péchés et sur ceux de l'humanité! Elle souffre comme Jésus et elle aime comme Lui. «J'endurerais mille morts pour sauver une seule âme.»

Elle sait bien, par les yeux du cœur, qu'une âme a la beauté de Dieu. Ne sait-elle pas que le prix en est le Sang du Christ? En cela, elle ne se dérobera jamais, elle boira jusqu'à la coupe!

Je l'entendis doucement me répondre: «Oui, tu m'as conduite jusqu'à la croix et je t'en remercie.»

Père Armand Girard m.s.a

Témoignages

Docteur Fayez Mishriki

Je connais Georgette Faniel depuis plus de trois ans[27]. Je suis médecin en pratique générale. Lorsque j'ai connu des épreuves difficiles dans ma vie, j'ai fait la connaissance de cette personne qui m'a aidé à ranimer ma Foi. Mes premières rencontres avec elle furent donc des échanges spirituels.

En tant que médecin, j'ai pu constater des phénomènes dans la vie de Georgette qui, selon moi, s'expliquent difficilement par la science moderne.

D'abord, je dois dire que Georgette Faniel a un dossier médical extrêmement chargé, ayant subi de multiples interventions chirurgicales sur la colonne, le foie, les intestins, les reins, etc. Elle était depuis de nombreuses années handicapée et condamnée à rester chez elle à cause d'une ankylose de la colonne générant de dangereux vertiges.

Je fus témoin d'un phénomène très impressionnant: l'apparition d'une lésion cutanée au flanc droit. Lors d'un examen plus attentif, j'ai pu voir que cette lésion cutanée, composée de nombreux petits points rouges

---

[27] Médecin traitant de Mimi, le docteur Mishriki a rédigé ce témoignage en 1987.

bien vascularisés individuellement, a la forme parfaite du chiffre deux. La lésion existe depuis le 1ᵉʳ juillet 1982, fête du Précieux Sang de Jésus, et prend une grande signification spirituelle dans la vie de Georgette Faniel. Ce chiffre, incrusté TRÈS CLAIREMENT en elle, lui est donné comme témoignage que Jésus fait UNION DE DEUX EN UN DANS LA SOUFFRANCE.

Depuis octobre 1985, alors que la condition physique de Mimi s'aggrave, j'ai pu suivre son évolution de plus près en tant que médecin traitant. Elle présente de l'angine de poitrine accélérée avec essoufflement et fatigue. Cette angine n'est que partiellement contrôlée médicalement.

Georgette souffre d'une douleur thoracique TRANSFIXANTE très aiguë qui arrive lorsque le Seigneur lui demande des souffrances pour les âmes ou des événements spéciaux.

Elle est capable de faire le discernement entre cette douleur et celle due à son angine de poitrine et voit la douleur disparaître lorsqu'elle l'offre au Seigneur. C'est ainsi que les épreuves physiques, morales et spirituelles de Georgette sont toujours offertes pour l'Église, le Saint Père, les âmes consacrées, l'humanité et, depuis trois ans s'ajoutent à cette offrande, les événements de Medjugorje.

Georgette présente par ailleurs une grande atteinte de son état général avec nausées, manque d'appétit, dégoût pour la nourriture et douleurs aiguës au flanc droit. De façon étrange, alors que la faculté suspecte une maladie hépatique et gastrique, la douleur de Georgette passe TOUT À FAIT INAPERÇUE SUR TOUS LES EXAMENS MÉDICAUX qu'elle subit avec difficultés à l'hôpital.

Il est un autre signe qui se fait visible chez Georgette et qui prend une signification et une dimension spirituelles. En effet, elle me dit souvent qu'elle a des maux de tête violents, plus sévères le VENDREDI. Elle sait intérieurement que c'est la couronne d'épines de Jésus et me le confie.

J'avoue avoir constaté par moi-même, lors de ces moments, des indentations (empreintes) sur le front de Georgette, marques qui disparaissent en temps normal.

Témoin de la transfixion

J'ai également été témoin, en compagnie de Georgette Faniel et des Pères Girard, d'un phénomène tout à fait unique. Nous étions dans le sanctuaire privé de Georgette pour l'action de grâce et chanter le *Salve Regina* ainsi que le chant *Mirtha Ô Mirtha*.

Pendant ce chant, à ma grande surprise, la voix de Georgette a pris une tonalité très élevée. Elle semblait chanter d'un souffle unique et d'une voix forte et infatigable. Je n'ai observé ni gêne respiratoire ni trouble d'équilibre ni lassitude. Tout ceci pour moi fut très surprenant étant donné qu'à mon examen quelques instants plus tôt j'avais trouvé Georgette très affaiblie et manquant de souffle en raison de plusieurs malaises thoraciques de type angine de poitrine.

Ce qui s'est produit après ce chant ne peut s'expliquer par des termes médicaux ou scientifiques.

Georgette a éprouvé subitement une douleur violente à la poitrine. Elle a été tellement saisie par cette douleur subite et intense que je l'ai vue projetée de plusieurs centimètres par en arrière. Alors qu'elle se serrait la poitrine, je me suis précipité pour prendre ses signes vitaux et j'ai constaté à ma grande surprise que ni son pouls ni sa tension artérielle n'avaient dévié de la normale, alors que visiblement, elle manifestait de grandes difficultés à respirer.

Aussitôt qu'elle fut saisie par cette douleur, je l'ai entendu remercier le bon Dieu et offrir continuellement pour l'Église, pour les prêtres et pour Medjugorje afin que les événements se déroulent bien. Par moment la douleur retrouvait son intensité initiale, une douleur si forte qu'elle semblait surpasser l'agonie de l'infarctus du myocarde. Au bout de cinq à dix minutes Georgette pu retrouver son sourire et m'expliquer que ceci est l'agonie de Jésus ressentie comme un dard qui transperce son cœur et que cette douleur avait un pouvoir d'aider les âmes du purgatoire à se libérer.

Ce phénomène en présence des pères Girard n'était pas nouveau et se produisait souvent lorsque les Pères célébraient la Messe avec Georgette, surtout au moment de l'action de grâce.

Cependant, selon les Pères Girard, ceci est la première fois qu'un laïc médecin est témoin de la transverbération ou transfixion du cœur, termes théologiques. Je rends grâce à Dieu pour cette chance unique.

Ceci n'est qu'un très bref témoignage de la vie secrète et très mystique de Georgette. Il est important et même primordial de dire que toutes ses souffrances et ses épreuves sont unies intimement à celles de Jésus et ce sont souvent des offrandes pour des âmes qui ont besoin d'aide.

Elles sont aussi, très explicitement, offertes pour la reconnaissance de l'authenticité des apparitions de la très Sainte Vierge à Medjugorje.

Docteur Fayez Mishriki

Suzanne Dignard,
fille spirituelle de Mimi

«Je t'ai appelé par ton nom, tu es à moi[28].» C'est la phrase du Psaume que Mimi me demande de choisir dans un petit panier d'osier. Elle me dit qu'elle aime beaucoup cette phrase et est heureuse que je la reçoive.

J'étais chez elle pour la première fois en ce samedi 13 août 1988, afin de prendre des images du visage de Jésus pour mes élèves de 6e année. Mimi me dit combien il est important de faire connaître aux enfants la présence de Jésus dans leur vie.

À mon départ, elle me dit que nous sommes appelées à nous revoir. Ainsi, mon premier lien avec ma mère spirituelle Mimi me vint par et pour les enfants. La meilleure manière d'aimer les enfants étant de les confier au Père Éternel par le cœur de Mimi, pendant environ 5 ans, je les conduis auprès d'elle, qui les reçoit avec tendresse et joie. Elle leur parle simplement de l'Amour de Jésus, des dons et grâces reçus et de la confiance que nous devons avoir envers Dieu. Elle prie avec eux et pour eux.

---

[28] Ps 54, 9.

Les jeunes la questionnent sur Dieu, la prière, la souffrance, le bien et le mal. Ils parlent ouvertement de l'élan de leur âme pour Jésus, le Père Éternel et Marie. Ils lui confient des intentions pour les douleurs, les souffrances et les maladies de leurs proches. Il arrive aussi que Mimi confie aux enfants des intentions particulières: un enfant malade, un couple en difficulté, une conversion. Elle sait que le Père Éternel aime leur prière.

En juin 1993, 12 jeunes de 12 ans viennent se consacrer au Père Éternel dans le petit sanctuaire de Mimi. Après leur engagement, nous chantons notre joie au Père Éternel et à Marie. Des larmes coulent sur visage de Mimi. Un jeune lui demande pourquoi elle pleure. Mimi lui dit que c'est la joie de cet événement qui la fait pleurer.

Tout doucement, le Père Éternel me conduit au cœur de la vie spirituelle de Mimi. Je dois approcher de cette réalité dans un esprit d'ouverture, d'accueil, d'humilité et de confiance. Une source vive, un chant d'Amour m'y attendent. Mimi me fera découvrir toute la tendresse du Père, les profondeurs de l'Amour du Christ et la lumière de l'Esprit Saint au chemin de la vie. Marie Reine de la Paix devient mon guide et mon soutien afin de mieux saisir ce cadeau venu du ciel.

Rencontrer Mimi, c'est s'approcher de Dieu…

… et découvrir en notre âme les bienfaits de Sa présence. Dieu agit dans tous les événements de ma vie: joies, peines, souffrances, guérisons, épreuves, projets, détachements, rencontres, départs. «Dieu est toujours là le premier, dit Mimi. Il te protège, te fait grandir par Sa Miséricorde, Sa tendresse et les grâces qu'Il t'accorde à chaque instant.»

Mimi m'éduque alors à la prière du cœur. «Je t'offre mon âme comme reposoir», prie Mimi. Elle recherche le silence de Dieu dans la paix de sa petite chambre. C'est dans l'intimité que Dieu se dévoile pour nous saisir de Son Amour. Mimi souhaite qu'ainsi se transforme notre lien avec Dieu.

Souvent Mimi commence sa prière en invoquant Marie: «Maman Marie, prête-moi Ton cœur pour prier le Père, Ton Fils Jésus et l'Esprit Saint.» Elle prie pour ceux qui n'y pensent pas. Parfois elle porte les souffrances de malades et demande leur guérison. La nuit, elle me dit que le Père Éternel la réveille afin de prier pour des âmes en difficulté: «Je ne voudrais pas qu'une seule âme se perde parce que j'aurai négligé de prier pour elle, et d'offrir mes souffrances.»

L'amour de l'eucharistie nous unit de plus en plus. C'est à la Sainte Table que nous sommes véritablement unies. Recevoir Jésus le Christ, L'adorer, Lui laisser toute la place, Le suivre et L'aimer: Mimi m'a ouvert les portes de son âme, afin que Jésus vive pleinement en mon âme.

L'échange entre le Père Éternel et Mimi se vit dans la simplicité, l'humilité, le détachement et la confiance. Mimi me met en garde contre toute curiosité ou recherche spirituelle. Elle apaise mon âme en m'expliquant que «tout ce qui est illusion, peur, crainte, dégoût, désespoir, angoisse ne vient pas de Dieu». Nous partageons cette réalité vivifiante: vivre comme un enfant de Dieu confiant et reconnaissant. Le Père Éternel tisse entre nous des liens de plus en plus profonds: précieux cadeau par pure gratuité, ensemble nous Lui rendons grâce.

Plusieurs personnes viennent rencontrer Mimi qui toutes trouvent une grande paix et du calme dans sa petite chambre. Un jour, elle s'interroge à ce sujet, le Seigneur lui dit: «Tu oublies que Je M'offre ici chaque jour en sacrifice.» En effet, ses deux fils spirituels célèbrent l'eucharistie chaque matin dans sa chambre. Mimi ajoute: «Les gens qui viennent ici reçoivent Jésus qui habite ma chambre comme un petit sanctuaire.»

Mimi reçoit chacun avec tendresse et douceur. Elle écoute, prie et demande la grâce de l'Esprit Saint, afin qu'Il agisse envers eux selon la Volonté de Dieu. Souvent, les visiteurs réalisent combien Dieu les aime. Ils repartent l'âme en grande paix avec une nouvelle espérance, souvent réconciliés avec Dieu. Mimi accepte de prendre sur elle certaines souffrances de ses visiteurs sans que rien n'apparaisse. Elle ne peut rien refuser à son Bien-Aimé. C'est Dieu qui donne tout ce qui est bon dans la vie de Mimi.

Mimi est une petite flamme au cœur de l'Église. Pas de grands discours, mais beaucoup d'amour.

Tous ceux qui la rencontrent en ressentent les bienfaits spirituels. Tant de vies ont retrouvé la route de Dieu, car Mimi laisse l'Esprit Saint diriger et œuvrer les rencontres que la Providence lui présente. Chaque personne qui l'approche est déposée dans le Cœur du Père Éternel.

Parfois, Mimi est très fatiguée après ces rencontres. Je lui demande comment elle fait pour que rien ne paraisse. Elle me répond: «Le Bon Dieu m'aide. Je veux le laisser libre d'agir dans ma petite âme.»

Mimi, charité orientée vers son Bien-Aimé et le Père Éternel à tous moments. Mimi, faveur du Père Éternel pour l'humanité.

Dans les deux dernières années de sa vie, il m'est donné de lui lire ses notes spirituelles et le courrier de son dernier directeur, le Père Armand. Durant ces lectures, Mimi écoute en silence, mais parfois devance la phrase qui vient. Elle me dit que cela l'aide à vivre aujourd'hui le don total accepté depuis sa jeunesse. La lecture de moments plus intenses porte Mimi aux larmes et alors elle lève son regard vers son image du Père Éternel, elle le contemple et le prie. Alors, tout devient silence et grâce. Un mystère profond se vit entre le Père Éternel et ma chère Mimi. Les mots sont si impuissants... rien ne peut dire l'état où elle se trouve. Toutes expressions relèvent du domaine de Dieu comme dans un lieu à la fois inconnu, pourtant reconnu à l'intérieur de l'âme. Une âme en prière console son Dieu. Puis, Mimi me regarde profondément et me dit merci. «Il me faut écouter le silence de Dieu dans Son Amour», me dit-elle.

L'engagement

Une expression du Bien-Aimé Jésus revient souvent: «Toi, du moins, aime-Moi.» Lorsqu'elle m'en parle, je vois combien sa peine est grande parce que Jésus n'est pas aimé. Elle en souffre beaucoup: «L'indifférence, c'est ce qui fait le plus souffrir Jésus. On ne passe pas assez de temps avec Lui.» Son désir le plus grand, faire connaître Jésus à toute la terre et l'humanité vivra de Son Amour.

Durant cette période, Mimi me parle aussi de sa vie et accepte que je prenne des notes. Elle me manifeste sa joie que je sois sa fille spirituelle. Elle m'invite alors à l'engagement au don total et me dit:

«Se détacher de sa volonté pour faire la Volonté de Dieu, c'est le plus difficile. Dieu a un respect de la personne, Il tend la main, mais ne force jamais. Ce qui vient de Dieu est toujours clair et apporte la paix, l'amour. On demande l'aide de notre ange gardien pour discerner la Volonté de Dieu. Avant même que tu viennes au monde, Dieu pensait à toi, te connaissait. Le fait que nous sommes ici ensemble toi et moi, notre rencontre présente a été voulue par Dieu de toute éternité.»

L'invitation est si profonde que l'âme n'en recherche que la vérité, humblement dans un élan de pureté. Ensemble, nous prions afin que le Père Éternel purifie mon âme pour ce moment important. C'est le 29 mars 2002, Vendredi Saint, que je prononce cet engagement. Ce fut le dernier Vendredi Saint de Mimi et je sais que ma maman spirituelle a accepté des souffrances pour que je vive cet instant béni.

Dans les derniers mois de la vie de Mimi sur cette terre, je l'accompagne souvent à l'hôpital. Elle se prête avec simplicité à tout. Le regard clair, un sourire, attentive pour tous ceux qu'elle rencontre. Infirmières, médecins et préposés sont heureux de la soigner. Sans le savoir, les malades reçoivent de Mimi sa prière et l'acceptation de ses souffrances. À notre départ, Mimi me fait remarquer que: «Dieu est ici avant tous les médecins.»

Nuit du 22 août 2001. Au début de sa nuit, un pas, juste un petit pas, elle tombe, et reste là tout en douleur. Elle attend le secours, la nuit devient lourde. Comme son Bien-Aimé, elle supporte, prie, vit dans la souffrance ce temps sur la Croix... On la relève, la blessure a fait sa marque. Au matin, sans une plainte, elle se laisse porter. Elle n'a plus la maîtrise des événements. Pourtant, déjà en son âme abandonnée au Père Éternel, elle livre son âme broyée.

Elle a une fracture à la cheville gauche et devra être opérée. En soirée, je revois Mimi à l'hôpital. Mimi est totalement étendue sur la Croix, son visage aux empreintes de douleur et pourtant elle est silencieuse. Je vois le Christ en Croix en regardant Mimi vivre ce temps de souffrance. Je n'ose l'approcher devant la profondeur d'un tel mystère. Mimi tremble de tout son corps. La douleur dans son dos devient insupportable et seul ce tremblement arrive à lui permettre de respirer. Ô souffrance sans parole qui dans le silence purifie tant de personnes!

Je comprends alors que je dois m'unir à ma Mère qui souffre en silence, liée à son Bien-Aimé. Elle accepte tout pour la gloire de Dieu et le salut des âmes. Nul ne peut lui enlever cette souffrance. C'est la part de Dieu en elle. «Que mon corps soit comme une citadelle afin de protéger mon âme qui est temple de Dieu. Mon lit de souffrances est devenu mon autel où je m'offre chaque matin à Dieu le Père Éternel que j'aime tant.»

Jamais une plainte, jamais de soupir, jamais de signe de lassitude ou de découragement. Elle dit: «Ça va comme le Bon Dieu veut.» En rien Mimi ne se soustrait à son engagement de victime d'amour dans la souffrance. Elle redit souvent: «Si je n'acceptais plus les souffrances je ne pourrais plus regarder le crucifix.» Mimi demeure unie au Christ sur la Croix, sa fidélité est totale.

Aux derniers temps de sa vie, la souffrance de l'âme, du cœur et du corps se manifeste constamment. Un jour que je la vois plus fatiguée, je lui demande: «Que puis-je faire pour toi?» Mimi me dit: «Je veux que tu m'offres ta prière et ton affection. Tu es ma fille et je te garde. C'est ton âme que j'aime.»

Mimi vient de me dire comment vivre les derniers instants auprès d'elle. Cette petite maman qui me signifie tant d'affection et de prières en ma vie me révèle son secret et me transmet son héritage: elle me dit, sois ma fille dans ta manifestation de prières et d'affection.

De tout mon cœur, je prie le Père Éternel, le Bien-Aimé Jésus et Marie. Je sais que Dieu est là plein de tendresse auprès de Mimi qui ne cesse de lui amener des âmes.

Mimi don de Dieu à l'humanité

24 juin 2002, dernière entrée à l'hôpital: «Tu sais le Père Éternel savait de toute éternité ce que nous vivons maintenant.» Je vois là une Mimi soucieuse de toujours s'en remettre au Père aimant et de m'unir à son acceptation confiante.

Sur son dernier lit d'hôpital, Mimi est liée à la Croix de son Bien-Aimé. Je pense à cette réflexion qu'un jour elle m'a faite: «J'ai la souffrance pour partage, la Croix pour amie.» Nul ne peut lui ravir ce temps pour lequel elle a donné toute sa vie. Les médecins et infirmières lui apportent réconfort et soutien, souvent en silence, car un bien grand mystère s'offre à leurs yeux. Une si petite femme, tendue vers son Dieu vit en silence les souffrances de son corps, et son âme est déjà orientée vers le visage du Père Éternel.

Mimi vit le temps de la douleur et de la souffrance qu'elle ne peut exprimer ni changer. Les mots sont impuissants. Elle accomplit pleinement le don total de sa vie, en communion à son Bien-Aimé Jésus. «Durant mes heures de souffrances, j'offre tout par amour et ma souffrance prie à ma place.»

Plus rien ne fait obstacle à cette fusion d'amour entre le Père et elle. Don et abandon, la route est tracée et Mimi arrive au temps de l'ultime rencontre. Elle ne retiendra rien… elle remet tout au Père, elle accepte tout.

«Il faut que je demeure pour bien porter ma croix. Une fois que je l'aurai bien portée là, je vais me coucher dessus et je mourrai comme ça.»

Marie est auprès de Mimi, car un jour elle lui a dit: «Je serai là près de toi au moment de ton dernier sommeil. Je te bercerai. Je me tiendrai près de toi comme au jour de ton baptême parce que chaque jour en unissant tes souffrances à celles de Mon Divin Fils, tu t'immoles par amour, tu restes toujours près de moi, près de ta croix et tu consoles le Cœur d'une Mère éplorée.»

Mimi accomplit la Volonté de Dieu dans une foi pure. Elle vit ses souffrances avec discrétion et courage: fécondité sans mesure pour l'humanité.

Chère Mimi, parfois tes silences parlent si fort en toi que seule la prière, au plus intime de mon âme, peut lancer alors à Dieu un appel à te soutenir dans cette immolation à la fois discrète et féconde.

Père Éternel, entends le chant de ma reconnaissance pour Ta présence entière au cœur de Mimi. Fils Jésus Christ, reçois l'acclamation de mon cœur pour Ta communion auprès de Mimi. Esprit-Saint, accueille la joie de mon âme pour Ta lumière en Mimi. Maman Marie, chante avec moi, alléluia, pour l'œuvre de Dieu dans la vie de Mimi.

Ma Mère spirituelle Mimi approche de son éternité et c'est avec tendresse que je l'accompagne répondant à sa demande d'affection. Je lui murmure un chant à Marie qu'elle aimait particulièrement.

Regarder avec les yeux de la foi la fin de vie de Mimi. Identifiée au Christ et à la Volonté du Père toute sa vie est là. Dieu s'approche de Son enfant tant aimée. Mimi livre son âme et ses derniers battements du cœur deviennent des actes d'amour parfait. Puis, Mimi se recueille, les yeux fermés, mais le regard déjà fixé sur son Bien-Aimé qui la reçoit.

Auprès de Mimi, j'ai découvert toute la beauté et la profondeur d'être l'enfant du Père Éternel qui m'aime et recherche toujours mon amour. Mimi a fait naître en moi le désir de l'intimité avec Jésus et la confiance en l'Esprit Saint.

J'ai souhaité dire le moment béni qui a capté mon âme, la réflexion qui permet de retrouver la flamme de l'Amour de Dieu pour chacun de nous.

Tous les jours, je rends grâce à Dieu d'avoir placé sur ma route cette femme merveilleuse, ma Mère spirituelle Mimi. Oui, quelle grâce!

Merci Mimi de m'avoir permis d'apprivoiser en moi ce qui vient de Dieu et ainsi de mieux vivre Sa Volonté. Je rends grâce à Dieu pour tant de Miséricorde et de bonté en ma vie. Par toi, Mimi, me sont venus les chemins où Jésus me reçoit et c'est là que s'enracinent la compassion, la Miséricorde et la charité. En union avec toi, j'ai habité la maison de mon Père. Il a forgé en moi la mission à vivre dans la discrétion, le silence et la fidélité.

Merci Mimi de cette maternité bienheureuse! Béni sois-tu Père Éternel! Je Te dis oui et de Mimi, je chante l'Amour!

Mimi don de Dieu à l'humanité.

Elle apparaît depuis plus de 30 ans à Medjugorje

Mimi et Janko

« Chaque jour, je remercie le Père Éternel
de permettre cette union de nos âmes. » Mimi

Mimi à 19 ans

Mimi à 20 ans

Cours de piano au conservatoire

Janko

L'enfant panse les plaies de Jésus

La peinture réalisée par le Père Janko révèle l'enfance de sa vie spirituelle.

Elle nous indique son désir de consoler Dieu.

Mimi dira souvent que le Père désire que ses enfants le consolent.

La spiritualité de Janko et de Mimi fait voir l'humilité de Dieu.
Consoler Dieu fait partie de leur langage.

Arrangement de Mimi.

Jésus et toi
dans les bras de
MARIE

Peinture de Janko.

JÉSUS le Sauveur
TOI le sauvé

Avec toi j'ai fait alliance

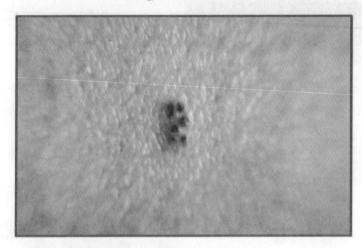

Je ne vis plus! C'est le Christ qui vit en moi!

La Croix Glorieuse

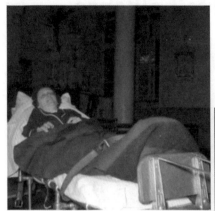

Aimer

Offrir

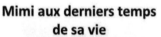

Mimi aux derniers temps
de sa vie

Les directeurs spirituels

Mimi , Père Paul Mayer, Régine

Père Joseph Gamache

Père Guy Girard   Père Armand Girard

Aumôniers à l'hôpital Notre Dame de Montréal

La visite des voyants de Medjugorje

Père Armand, Vicka Mimi, Père Guy

Père Armand, Yvan, Père Guy

Vicka et son éternel sourire

Chaque Eucharistie se célèbre dans la souffrance et la douleur.

Vicka tient la main de Mimi. Elles vivent toutes les deux une Immolation!

MEDJUGORJE TERRE BÉNIE

Père Tomislav Pervan et Mimi

**Daria Klanac
Père Slavko Barbaric et Mimi**

L'Eucharistie était le cœur de sa vie.

Sa vie était au cœur de l'Eucharistie

Dévotion de Mimi au Père Éternel

Armand, Mimi, Guy

Ses fils spirituels

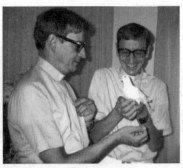

**Première chapelle dédiée
au
Père Éternel**

Mimi
Docteur Fayez Mishriki

Docteur Joseph Ayoub
L'abbé René Laurentin.

Mimi
et sa fille spirituelle
Suzanne

L'amour de Mimi pour les pauvres

L'amour de Mimi pour les enfants

Andrée-Ann

Jeannine et Mimi

Les changements physiques et physiologiques étaient identiques chez Jeannine 43 ans et Mimi 69 ans.

Famille Brasseur et Mimi

**Le volume
« Marie Reine de la Paix
demeure avec nous. »
Medjugorje**

**Saint Père Jean Paul II.
Guy Girard
Armand Girard**

De Damas à Montréal. De l'Orient à l'Occident

**Myrna de Soufanieh et Mimi
Dieu les unit
Silence et discrétion**

Vierge de Kazan

Partie II

La correspondance

Préface

La figure de la mystique canadienne Georgette Faniel, appelée Mimi, décédée en 2002, est sans doute une manifestation par laquelle se poursuit le phénomène mystique dans l'Église du Christ. L'histoire de la chrétienté accueille avec respect les mystiques authentiques et se souvient d'eux. Selon les époques, les mystiques jouissent d'une plus ou moins grande considération dans l'Église, et la hiérarchie de l'Église parfois les acceptent, parfois non. Mais la succession des faits reliés aux mystiques authentiques démontre qu'ils possèdent une liberté intérieure qui souvent dépasse la conception ordinaire de la liberté. De plus, ils s'expriment différemment, avec leur propre langage mystique. Toutefois, lorsque les mystiques franchissent toutes les étapes des enquêtes d'authenticité, dont une est la fidélité par rapport à l'enseignement de l'Église, ils entrent dans le Saint Magistère de la chrétienté.

Le chemin vers la liberté intérieure chez tous les mystiques passe par les aspérités et les obstacles du parcours de la vie et de la croissance spirituelle. Leur persévérance dans l'acquisition de la liberté dans l'Esprit est en fait le premier don de l'Esprit Saint qu'ils reçoivent par leur ouverture et leur abandon jusqu'à la croix. La croix est pour eux la clé divine qui permet d'entrer dans la mystique de la foi. Une pléiade de chrétiens mystiques ont passé par le moule de la croix: François d'Assise, Bonaventure de Bagnoregio, Jacopone de Todi, Marguerite de Cortone, Angela de Foligno, Jean Tauler, Jean de la Croix, la grande Thérèse, la petite Thérèse, Edith Stein et plusieurs inconnus. Lorsque nous parlons de la croix, nous pensons, bien sûr, à la Croix du Christ dans toutes ses dimensions – dans sa verticalité et son horizontalité, dans sa largeur et son poids. La Croix est la clé de toute la mission du Christ pour toute l'humanité.

L'œuvre tout entière de Jésus est devenue authentique justement par Sa Croix salvatrice et par Sa Résurrection qui a éclairé cette Croix et celle de l'humanité. Par ces ténèbres et cette lumière de la Croix, les chrétiens mystiques sont devenus et sont demeurés la fierté de la spiritualité chrétienne.

La vie de la mystique canadienne Mimi est en parfaite identité avec la communauté des mystiques chrétiens. Son chemin du calvaire exceptionnel est un long façonnage par la Croix, façonnage que Mimi a accepté avec joie. Ses lettres au Père Janko Bubalo, franciscain d'Herzégovine et célèbre poète, témoignent d'un cheminement joyeux avec le Christ et, il faut immanquablement l'ajouter, avec Marie la Mère du Christ. Ainsi accompagnée, Mimi a pu recevoir la grâce – comme François d'Assise, comme Padre Pio – d'être profondément unie à la Croix spirituellement et physiquement, union qui s'est particulièrement manifestée par les cinq plaies du Christ qu'elle a reçues dans son corps. Par une telle expérience de la Croix, Mimi a pu entrer dans le cercle familial de la Trinité divine et se lier d'amitié avec le Christ et le Père éternel.

Cette amitié avec la famille divine lui a apporté une abondance de joies spirituelles. Mais, malgré cela, en tant que croyante sur le chemin, l'épreuve «de la nuit sombre» par laquelle il faut passer pour aller vers la lumière inextinguible et éternelle, ne lui a pas été épargnée.

Dans ses lettres au Père Janko, Mimi montre justement ce chemin vers la communion définitive avec Dieu et représente, de ce point de vue, un guide pour toutes les personnes de bonne volonté.

Dans les lettres de Mimi se reflète aussi le métalangage mystique, différent de notre langage chrétien ordinaire, souvent superficiel, tiède et terne. Notre médiocrité dans notre façon de vivre la foi nous empêche de comprendre un tel langage. Toutefois, le Père Janko, toujours à travers le façonnement par la Croix, a réussi à dépasser cette médiocrité, c'est pourquoi non seulement il accepte et comprend le langage de la mystique Mimi, mais ce langage devient pour lui un grand réconfort. Il semble vraiment que le Père Janko ait été accablé par des douleurs qui, humainement parlant, étaient insoutenables (des douleurs physiques et psychologiques diverses et intenses). Par un don incompréhensible de la Providence, il a reçu la parole vivante de la mystique Mimi, parole de grande consolation, surtout lorsque ses propres prières n'obtenaient pas la réponse souhaitée. Ainsi, accompagné par les paroles de réconfort de Mimi – paroles ayant le poids d'une grande foi – il a pu traverser les dernières stations de son chemin de croix.

Daria Klanac a joué un rôle de messagère dans cet échange épistolaire entre deux personnes à la spiritualité profonde qui ne se sont jamais rencontrées et qui ne parlaient pas la même langue. Ses efforts importants pour la préparation et la publication de ces lettres, et son excellente introduction trouveront, j'en suis certain, un terrain fertile chez les âmes qui comprennent le métalangage de la mystique Mimi et souhaitent s'ouvrir à la lumière de la Croix.

Père Bernardin Skunca

Introduction

Les Pères Guy et Armand Girard, directeurs spirituels de Georgette Faniel, avaient observé qu'elle s'offrait particulièrement pour les apparitions de la Bienheureuse Vierge Marie à Medjugorje. Aussi, à l'occasion d'un pèlerinage, décident-ils d'en informer les franciscains de Medjugorje.

Au début des années 80, j'accompagnais régulièrement des groupes de pèlerins venus du Canada à Medjugorje. Aussi, j'ai emmenés les Pères Girard auprès du Père Janko Bubalo, écrivain, poète croate, qui suivait de très près tout ce qui était en rapport avec les événements de Medjugorje. Il a immédiatement remarqué que la vie de la «petite servante du Seigneur» de Montréal était un don exceptionnel de la Reine de la Paix.

Aussi, entre le Père Janko Bubalo et Georgette Faniel, surnommée Mimi, s'est développée une amitié spirituelle d'une richesse inhabituelle. C'est ainsi que je suis devenue, en quelque sorte «facteur» pour Janko et Mimi.

Ils ont entretenu une correspondance épistolaire dans laquelle ils se confiaient l'un à l'autre leurs expériences de foi et leurs sentiments les plus profonds, toujours dévoués et unis par la prière et l'abandon. Janko depuis sa cellule monastique à Humac en Croatie, et Mimi depuis son modeste appartement à Montréal.

Bien que j'aie eu l'honneur de les aider en traduisant leur correspondance, je n'avais pas alors remarqué cette affinité de leurs âmes qui se confiaient entièrement l'une à l'autre. Je n'avais aucune idée du trésor qui se cachait dans ces lettres que j'ai véhiculées d'un pays à l'autre.

Ce n'est que maintenant, après plus de vingt ans, une fois la poussière des années retombée, qu'il m'a été donné de découvrir toute la grandeur, l'ampleur et la profondeur de ces manuscrits précieux qui, jusqu'à présent, s'étaient dérobés à ma curiosité et à mon regard.

C'est Mimi qui a commencé la correspondance après avoir reçu des cadeaux que je lui avais apportés de la part du Père Janko. Chaque fois que je revenais de Medjugorje, s'il n'y avait rien d'autre, je lui transmettais les salutations sincères et cordiales du Père Janko. Elle lui répondait avec gratitude, sans attendre la réponse à sa lettre précédente. C'est pourquoi nous avons plus de lettres de Mimi que du Père Janko.

Le Père Janko lui écrit pour la première fois le 19 septembre 1986: «Je sens un besoin irrésistible de te parler, de te dire combien je suis heureux que le Seigneur t'aie découverte à moi, au moins partiellement et m'aie confié la grâce de faire connaître au monde ce joyau qu'il polit et parfait depuis tant d'années déjà.» Il lui ouvre spontanément son cœur, avec simplicité et franchise. Il lui raconte tous ses soucis et les épreuves qu'il doit affronter dans le cadre de son travail pour Medjugorje.

Parce qu'il souffre, Mimi appelle le Père Janko «bienheureux». Elle lui exprime son bonheur, sa joie et sa gratitude: «Avec vous je remercie Dieu le Père Éternel de vous avoir placé dans ma pauvre vie. Ce lien spirituel que Dieu a placé et déposé entre nos âmes n'est pas l'effet du hasard, nul ne peut le séparer. Par cette union dans la souffrance, nos âmes sont unies. C'est un don si précieux qu'il nous faut garder caché aux regards humains. C'est un grand privilège.» (25 novembre 1986)

Avec ces mots, Mimi ouvre les pages d'or d'une profonde intimité spirituelle et lance l'invitation à cheminer ensemble: «Ensemble, marchons dans l'abandon total à la Sainte Volonté du Père sur nous. Laissons-nous saisir par Son Amour Miséricordieux. (…) offrons nos misères, notre pauvreté (…)» (25 novembre 1986)

Le Père Janko et Mimi entrent pas à pas dans la marche vers la kénose de la Croix, l'abandon inconditionnel, à la suite de Jésus-Christ, incarnation du Dieu vivant. En Lui se trouve toute la sagesse, toute la connaissance de Dieu et de l'humanité.

Mimi est amoureuse de la personne de Jésus Christ et souhaite être clouée sur la même Croix. Sa vie gravite autour du Crucifié au pied de la Croix, par la Croix et pour la Croix. Elle se laisse guider et choisit de vivre dans cette triple dynamique avec son Jésus. Le Père Janko est frappé d'étonnement face à cette théologie de la Croix hors du commun: «Je n'ai jamais lu une telle lettre écrite par la main humaine.» (20 janvier 1987)

L'amour et l'espérance sont intimement liés à la douleur de Marie. Mimi invite donc à porter la Croix avec amour pour la gloire de Dieu et la victoire de la Reine de la Paix: «Chaque fois que mon cœur est blessé, cela donne à Marie Reine de la Paix une rose qu'Elle offre au Père Éternel pour Le glorifier avec nos souffrances.» (8 avril 1987)

Les souffrances sont évidentes chez l'un comme chez l'autre. Ils en ont abondamment à offrir chaque jour sur l'autel du sacrifice.

Janko travaille à la rédaction du *Témoignage pour Medjugorje* et il écrit à Mimi avec la simplicité d'un enfant: «Je me suis trouvé dans la fosse aux lions, cet état d'âme que saint Jean de la Croix connut aussi. Des fois, cela ressemble à la vie dans l'antichambre de l'enfer.»

Elle lui répondra: «Père Janko, vous me dites que vous avez passé dans l'antichambre de l'enfer. Je dois vous confier qu'à certains moments, je me sens dans l'enfer. Tout est néant pour moi, tout est noir. Si Dieu existe, où est-Il?»

Le 21 juillet 1991, Mimi dit: «Chaque jour, je remercie le Père Éternel de permettre cette union de nos âmes. Sans se connaître, nous avons pris la même route, celle de l'amour et de la souffrance et au bout de notre chemin, il y a la petite rivière mystérieuse où nos âmes se rencontreront. Et, à ce moment-là, nous pourrons jouir d'un grand bonheur, car le premier attendra l'autre, dans le calme et la Paix, se laissant bercer dans les bras de Maman Marie. Car tu sais, Marie est déjà au rendez-vous.»

On ne grandit spirituellement par la Croix qu'en tombant et en se relevant quotidiennement sur le chemin vers le Golgotha, le chemin qui nous mène jusqu'à la rencontre ultime avec Jésus ressuscité. Il faut faire le vide en soi pour être rempli par cette réalité invisible et s'oublier soi-même. À ce stade du partage de leurs vies spirituelles, Mimi parle du cadeau royal de la Croix, de l'union avec la Passion du Christ, du dépouillement toujours plus grand, en s'offrant à Marie pour qu'Elle intercède auprès du Père: «Mon cher frère Janko, un petit secret. Avec la grâce de Dieu, le jour où je n'aurai rien à offrir à Dieu dans la souffrance, je serai incapable de regarder le crucifix, de regarder Jésus en croix, je me sentirai loin de Marie. Là où est la Croix, Marie est toujours présente avec Son Amour, Sa Paix, pour glorifier le Père Éternel.» (5 octobre 1988)

Par moment, Mimi et Janko sont très affaiblis, la force leur manque. La maladie, les épreuves, les pressions du quotidien, les croix accablantes provoquent les larmes aux yeux, l'âme et le corps se tordent de douleur: «Au plus profond de nos misères», dit Mimi, «Dieu semble dormir, mais Son Cœur de Père veille toujours. Il nous permet de reconnaître nos limites! Les épreuves de chaque jour nous aident à augmenter notre confiance en la Divine Providence. Et seulement ensuite on prend conscience qu'il faut tout Lui remettre.» (16 juin 1987)

Petite mendiante de l'Amour, Mimi admet volontiers que le Père Janko connaît bien et depuis longtemps le chemin de l'Amour dans la souffrance. Elle le remercie pour son offrande, lui qui est l'enfant bien-aimé de Marie. Cela les conduit tous les deux à se libérer du poids matériel des choses, à vivre dans la joie du service de l'Église, pour le monde, pour les âmes consacrées, pour la paroisse de Medjugorje et les voyants.

Le Père Janko, qui se considère parmi les plus pauvres des pauvres, confie à Mimi avec humilité, honnêteté et douleur, toute sa faiblesse et sa misère. Elle lui redonne du courage et lui fait voir sa fortune: la richesse de posséder l'Amour de Dieu, sa grâce en tant qu'appelé, prêtre et témoin du Seigneur et le trésor d'avoir pour Mère la Reine de la Paix. Tout cela fait de lui un élu, un ami du Seigneur. Mimi sondait les profondeurs de son âme, et lui faisait connaître les véritables trésors dont il était gratifié.

«Car le Père sait, écrit Mimi, que la porte de votre petite demeure intérieure est toujours ouverte et que c'est pour cette raison qu'il y reste en permanence.» (5 août 1989)

Le Père Janko et Mimi portent en eux un profond désir du Ciel qu'ils expriment chacun à leur manière: «Cher frère Janko, un petit secret. Le désir du Ciel est si grand qu'il devient pour moi une agonie que de vivre encore sur la terre. Cependant que tout s'accomplisse selon la Sainte Volonté de Dieu, sur Son humble servante.» (16 avril 1989)

De son côté, le Père Janko se réjouit du moment où il pourra dire avec le psalmiste: «Allons à la maison du Seigneur[29]!»

«Chère sœur Georgette, quand cela arrivera, heureuse, chante: Mon âme exulte le Seigneur[30]! Je ne veux pas être triste si cela t'arrive avant moi, car dans chaque situation, nous serons plus proches de Dieu et les uns les autres.» (25 mars 1990)

La route est encore longue jusqu'à la libération finale, mais «chaque jour un pas de moins sur la terre est un pas de plus vers le Ciel.» (Mimi, le 15 juin 1990)

«Mon cher frère Janko, tu me parles de tes problèmes, de tes croix physiques. Je suis très sensible à tes douleurs, mais cependant, je suis heureuse d'apprendre que dans ce domaine nous sommes identiques dans

---

[29] Ps 122,1.
[30] Lc 1,46.

nos souffrances, dans nos croix. Que c'est beau et grand d'appartenir au Corps Mystique de l'Église.» (15 juin 1990)

Dans l'attente de ce jour heureux où ils seront serrés dans les bras du Seigneur, il leur faut persévérer, offrir, rendre grâce, comprendre le sens des épreuves, les apprécier à leur juste valeur en vue du salut des âmes, boire la coupe jusqu'à la lie. Le Père Janko et Mimi ont parfaitement connaissance de cela. Seules les âmes humbles obtiennent la grâce de le saisir et c'est pourquoi ils prient l'un pour l'autre afin de garder l'esprit de l'abandon total. Ils ont conscience que la relation mystique de leurs âmes est un don précieux du Père Éternel.

Parfois, la route vers la lumière leur paraissait longue, interminable, éclipsée dans l'obscurité. Ils se sentaient seuls et abandonnés. Des profondeurs de l'impuissance et du désespoir, ils imploraient, se souvenant des paroles de Jésus: «Mon Dieu, mon Dieu, pourquoi m'as-tu abandonné!» Dans ces moments les plus sombres, ils regardaient vers le Ciel et la réponse ne tardait pas, car la charité miséricordieuse du Seigneur était à l'œuvre.

Ils se consolaient mutuellement, partageant leur espérance en s'efforçant de comprendre et d'accueillir les combats et les souffrances de l'autre: «Mon cher Janko, ce n'est pas pour rien que Dieu le Père te garde encore sur la terre. Il a grandement besoin de ton amour, ta prière, ta souffrance physique, morale et spirituelle. Ta grande douleur, unie à la passion de Jésus et aux douleurs de Marie, a un prix aux yeux de Dieu. (1er mai 1994)

Ils n'avaient pas peur de la mort, parce qu'ils savaient que Jésus et Marie les attendaient de l'autre côté: «Je suis heureuse d'avoir une Maman qui me portera dans Ses bras pour traverser la rivière mystérieuse où le bonheur sera sans fin. (…) Mon cher Janko, qui attendra l'autre? Si c'est moi, je t'attendrai avec Marie. Si c'est toi, ne me fais pas attendre longtemps, car j'ai la nostalgie du Ciel.» (1er mai 1994)

Le Père Janko s'exclame de joie: «Je me réjouis d'avance de notre rencontre finale, après (le mien et le tien) ce passage sans retour, à travers cette rivière mystérieuse qui sépare les vivants des Vivants. Je te prie de ne pas m'oublier dans ta souffrance et dans ta conversation avec le Père Éternel. Jusqu'au bout, ton pauvre frère Janko aura besoin de tes soins et de tes sacrifices.» (24 juin 1991)

Mimi et le Père Janko souhaitaient partager un petit coin de Paradis où ils pourraient se raconter les merveilles de Dieu et louer le Seigneur pour toute l'éternité. «N'est-ce pas beau», dit Mimi, «de vivre d'Amour pour mourir d'Amour?» (2 mars 1995)

C'est le Père Janko qui est parti le premier, en 1997. Mimi lui a survécu cinq ans. Elle est décédée en 2002. Elle a traversé sur l'autre rive. Devant sa chambre, le corridor portait le nom de «Marie Reine de la Paix», sa résidence celui de «Ma maison Saint Joseph.» Y travaillaient les Petites Sœurs des Pauvres que Mimi aimait profondément.

Je connaissais bien le Père Janko et Mimi, je leur rendais visite régulièrement. J'étais heureuse d'être en leur compagnie. Dans leurs yeux, je voyais briller la bonté et l'amour. Mais derrière ce rideau impénétrable se cachait quelque chose de profondément mystique que je n'ai découvert que récemment, par la lecture de leur correspondance.

Dans ces lettres, chacun de nous peut se reconnaître, avec nos propres combats face à notre destin. Nous sommes tous confrontés quotidiennement aux mêmes difficultés qu'ils ont traversées. Leurs désirs et leurs aspirations, les hauts et les bas dans leur vie, leurs faiblesses et leurs vertus sont semblables aux nôtres. Avec leurs mots, ils ont exprimé et dévoilé en totalité ce qu'est la personne humaine dans toute sa vérité devant Dieu et devant les hommes. Ils avaient tout de même quelque chose de particulier qui les mettait à part: leur réponse inconditionnelle, pleinement libre, à l'appel de Dieu qui les invitait à Le suivre dans l'amour et le sacrifice.

Je relis souvent ces lettres, comme on retourne à une source d'où émerge une connaissance plus profonde de soi-même, de son prochain, de l'amour infini de Dieu qui, à travers ses créatures, petites, pauvres et humbles, comme Janko et Mimi, enrichit, embellit, ennoblit le monde et fait que dès maintenant, et ici même, il nous arrive de vivre des instants célestes de la plénitude du Royaume éternel de Dieu.

Daria Klanac

Correspondance de Georgette Faniel
et du Père Janko Bubalo

Présentation de Jésus au temple

2 février 1986

Révérend Père Janko Bubalo,

Ma joie est tellement grande que je ne trouve pas les mots pour remercier le Père Éternel, la Vierge Marie, Reine de la Paix, et Son Fils Jésus. Et vous remercier d'avoir été l'instrument de Dieu pour m'apporter cette consolation dans l'épreuve. Le chapelet sera ma force dans les temps difficiles, et ma protection devant l'ennemi.

Père Janko Bubalo, soyez assuré de ma prière à toutes vos intentions spirituelles et temporelles, et aussi pour soutenir le très Saint-Père Jean-Paul II. Je demande à Dieu Le Père que le message de la Vierge, Reine de la Paix, soit répandu au monde entier.

Chaque jour, je porte dans ma prière les voyants de Medjugorje.

La plaquette[31] est pour moi un sujet de méditation. Représentant la croix gage de notre salut. La dernière Cène est l'image du don total que nous devons préparer chaque jour. La Présence de l'Esprit Saint est celle qui nous conduit au don total, à la croix avec Jésus pour glorifier Le Père, par Marie Reine de la Paix.

Je me recommande à vos prières et à celles des voyants pour que Dieu me mette toujours en état d'offrande, en acceptant la Sainte Volonté du Père en tout et partout. Je demande à la Sainte Trinité de vous bénir par Marie Reine de la Paix.

Grand merci pour tout.

La petite servante de Dieu,

Mimi

---

[31] Il s'agit d'une petite planche en bois sur laquelle sont représentés une croix, la dernière Cène, une colombe (Esprit Saint) avec les deux mots: Croix et Cène.

15 juin 1986

Révérend Père Janko Bubalo,

Ma dette de reconnaissance est de plus en plus grande envers vous et les voyants. Je tiens à vous remercier tous pour le support moral que vous m'apportez par vos prières et sacrifices.

J'ai tellement besoin d'aide, par la prière, pour continuer ce chemin douloureux de la croix avec mon Bien-Aimé Jésus crucifié. Chaque jour, je dois marcher avec foi, amour et confiance, en acceptant la Sainte Volonté du Père Éternel.

Ce n'est pas toujours facile; il me faut lutter sans cesse pour obtenir, par la prière, la conformité et l'abandon total à la Volonté du Père en tout et partout, quand surtout dans les moments d'épreuves, de sècheresse, la croix devient plus lourde. Je demande à Maman Marie, Reine de la Paix, de me protéger, et de me mettre toujours en état de purification, pour être plus près de Jésus crucifié.

Père Bubalo, je tiens à vous assurer du secours de nos prières. Le Père Guy et le Père Armand Girard, et moi, nous prions pour vous, pour les prêtres, pour les voyants, les pèlerins, afin qu'ils soient tous protégés des ennemis visibles et invisibles.

Je demande à Dieu le Père Éternel de les bénir, pour qu'ils restent fidèles à répandre les messages de Marie, Reine de la Paix. Que le Sang Précieux de Jésus les purifie de plus en plus. Je demande à l'Esprit Saint d'être avec eux toujours, en tout et partout.

Je les place tous entre les mains de Marie, près de Son Divin Cœur, là, ils seront en sécurité. Je me recommande à vos prières et à celles des voyants, pour que mes fils spirituels les Pères Guy et Armand Girard et moi, nous devenions, par la grâce de Dieu, des saints pour glorifier le Père Éternel, avec Jésus et Marie.

La petite servante de Dieu, *Georgette Faniel*

Humac, le 19 septembre 1986

Honorable et chère sœur Georgette,

Je sens un besoin irrésistible de te parler, de te dire combien je suis heureux que le Seigneur t'ait découverte à moi, au moins partiellement, et m'ait confié la grâce de faire connaître au monde ce joyau qu'il parfait et polit depuis tant d'années déjà.

Ce n'est pas par hasard, Georgette, que cela devait se produire en langue croate, non plus que cela devait se produire en relation avec Medjugorje. Mais, il est arrivé quelque chose d'autre lié à la rédaction du dialogue entre toi et Armand dans le *Témoignage pour Medjugorje*, c'est-à-dire, que moi qui suis depuis ma jeunesse, faible, fragile de santé, j'ai été submergé d'autres travaux, je me suis surchargé, j'ai forcé et le résultat en a été une profonde dépression. Je me suis trouvé dans la fosse aux lions, cet état d'âme que saint Jean de la Croix connut aussi. Parfois cela ressemble à la vie dans l'antichambre de l'enfer.

Ainsi, depuis 25 jours, je me trouve dans un état où je ne puis rien d'autre que souffrir. Je ne peux même pas prier. Tout ce dont je suis capable consiste en une offrande brisée de mes misères au Cœur de Jésus, dans les mains de Sa Mère et de ma Mère Marie. Dans ces moments-là, je pense souvent à toi, ma sœur. Je te confie dans les mains de Jésus et de Marie afin qu'ils t'aident pour que tu puisses te donner totalement dans tes souffrances. Quoi d'autre pourrais-je te souhaiter?

Cependant, je me retrouve en ce moment, dans une situation embarrassante. J'avais planifié de préparer pour la fin de ce mois-ci, ou au début du mois d'octobre, le livre des bons frères Girard, dans la nouvelle rédaction du *Témoignage pour Medjugorje* en y ajoutant quelques compléments pour le rendre encore plus intéressant. Mais en ce moment, je suis incapable de continuer, je suis troublé et je ne sais pas quoi faire. Le Seigneur n'est peut-être pas content de mon plan, c'est pourquoi Il m'a peut-être ôté la force de le finir. Peut-être?... C'est peut-être aussi une purification pour moi.

C'est pourquoi, il serait bon, que tu prennes courage et que tu demandes à un de tes interlocuteurs célestes:

1- Est-ce la volonté de Dieu que ce nouveau livre planifié sur Medjugorje soit terminé et laissé dans les mains des hommes?

2- Est-ce que frère Janko aura la force de le faire?

Si c'est la Volonté de Dieu, tu pourrais peut-être obtenir une réponse du Père Éternel. Quel que soit la réponse du Père, un des frères Girard pourrait me l'envoyer en français par la poste. En tous les cas, je vous remercie beaucoup, du fond du cœur, toi et les frères Girard pour tout ce que vous faites pour moi.

Que la grâce et la paix de Jésus Christ soient toujours avec vous. Amen!

Te salue, dans le cœur de Jésus,

Ton pauvre Janko

Lettre remise le 10 novembre 1986 par Madame Daria Klanac

Montréal, 29 septembre 1986

Cher Père Bubalo,

C'est avec une profonde émotion et une énorme joie que je viens vous remercier de votre délicatesse de m'envoyer ce si beau présent, ce chapelet béni et baisé par la Très Sainte Vierge Marie. C'était vraiment un cadeau venu du Ciel pour m'aider à continuer mon chemin de croix.

J'ai compris dans ce geste de Marie la Mère, qui protège et console la pauvre petite servante de Dieu, car en ce temps-là je passais une période assez pénible, par la maladie, les tentations, la sècheresse spirituelle, etc.

Cette purification est nécessaire à mon âme et apporte beaucoup pour soutenir le Saint-Père Jean-Paul II, l'Église, pour les âmes consacrées et toute l'humanité, et pour les événements qui se passent à Medjugorje. L'abandon et la conformité à la Sainte Volonté du Père renforcent l'âme et donnent à l'Église un renouvellement spirituel plus intense et apportent aussi aux âmes l'Amour, la lumière, la Paix que Marie Reine de la Paix vient donner au monde par ses messages à Medjugorje.

Chaque jour, avec les pères Guy et Armand Girard, nous offrons nos prières, nos souffrances, pour le triomphe de Marie Reine de la Paix, pour que ses messages apportés à l'Église et au monde soient une source de grâces, de bénédiction, de richesse et d'Amour, pour les voyants, pour le peuple de Dieu, surtout pour les petits, les humbles. Nous sommes tous petits dans les mains de Dieu, et Enfant dans les bras de Marie. Malgré notre indignité nous sommes grands dans la foi à notre Père du Ciel.

Père Bubalo, je tiens à vous remercier pour la cassette où j'ai le bonheur d'entendre votre voix qui est celle de mon frère dans le Christ. Merci du message, merci pour le chant *Mirtha*, merci au prêtre qui a chanté, c'est magnifique, je pleure de joie... aussi aux religieuses et aux voix célestes. Merci à Vicka pour avoir présenté le chapelet à la Très Sainte Vierge pour le faire bénir. En écoutant les chants, je me voyais à Medjugorje... si un jour, Dieu me permettait. En attendant, avec la grâce de Dieu, je le fais dans la prière et la pensée.

Père Bubalo, je vous assure de nos prières et je vous demande, s'il vous plaît de prier pour la servante de Dieu et pour toutes les âmes que je porte dans ma prière et dans mon cœur, qui se recommandent à vous.

Nous prions beaucoup pour les prêtres de Medjugorje, pour les voyants, pour qu'ils restent fidèles à la prière et à leur mission respective. Les pèlerins auront toujours une place de choix.

Père Bubalo, je vous souhaite beaucoup de santé.

Georgette Faniel

Montréal, 25 novembre 1986

Bienheureux frère Janko Bubalo,

Ne soyez pas surpris du titre. Vous vivez les Béatitudes, alors vous avez droit à ce titre et j'en suis très heureuse.

Comme votre lettre m'apporte beaucoup de joie, de consolation! Avec vous je remercie Dieu le Père Éternel de vous avoir placé dans ma pauvre vie. Ce lien spirituel que Dieu a placé et déposé entre nos âmes n'est pas l'effet du hasard, nul ne peut le séparer. Par cette union dans la souffrance, nos âmes sont unies. C'est un don si précieux qu'il nous faut garder caché aux regards humains. C'est un grand privilège. Je sais que je ne mérite pas tant, mais nous devons remercier Dieu pour tout.

Père Janko, je suis sensible à l'épreuve que Dieu vous a envoyée. Dans cet état d'âme où vous avez reçu une plus grande purification, Dieu permet cette croix, cette épreuve, mais Il reste caché au plus profond de votre âme pour vous aider. Où il y a la croix, Marie est toujours présente. Ces épreuves sont méritoires pour glorifier le Père Éternel, pour soutenir le Saint-Père Jean-Paul II et pour l'Église, pour les messages de la Vierge Marie. Elles ont un grand prix aux yeux de Dieu pour aider la cause de Medjugorje.

Je sais que vous souffrez beaucoup, moralement et physiquement. Jésus souffre avec nous. Par nos souffrances nous glorifions notre Père. Père Janko, c'est un grand privilège que d'être placé et fixé à la croix, c'est un honneur pour nous, et un bonheur pour Dieu. Nous avançons vers un bonheur sans fin.

Regardons avec les yeux de la foi vers l'horizon qui est si beau, où tout est calme, où la paix règne, où l'on ne respire que l'Amour. Chaque jour, je médite sur notre bonheur futur, sur notre résurrection avec Jésus.

C'est normal qu'après avoir suivi Jésus pas à pas jusqu'à la croix, et avec la grâce de Dieu, avoir accepté la croix comme partage par amour pour

Dieu et les âmes, pour le Saint-Père Jean-Paul II, pour l'Église, nous méritions de prendre part au bonheur éternel. Ensemble préparons notre ascension.

Par notre immolation nous avons tout ce qu'il nous faut. Père Janko, l'Amour de Dieu n'est pas un mystère. C'est beaucoup plus simple.

C'est l'Amour d'un Père pour Ses enfants. C'est l'Amour de l'Esprit Saint pour les âmes. C'est l'Amour d'une Mère pour nous. Rien de mystérieux. L'Amour infini d'un Dieu, Père miséricordieux, l'Amour de Dieu le Fils par le don total, l'Amour de l'Esprit Saint qui coopère avec nous dans les âmes, l'Amour de Marie Médiatrice, d'une Mère pour Ses enfants, maintenant et à l'heure de notre mort.

Ayons une grande humilité de cœur, restons dociles aux inspirations de l'Esprit Saint pour admettre ces choses. Pour l'âme qui vit sans cesse dans une grande intimité avec Dieu, par une grâce spéciale, les choses mystérieuses deviennent simples, faciles, rien d'impossible pour nous, car il nous faut mettre notre foi, notre confiance en Dieu, nous abandonner avec foi, amour entre les bras puissants de Dieu.

Père Janko, vous me dites que vous avez passé dans l'antichambre de l'enfer. Je dois vous confier qu'à certains moments, je me sens dans l'enfer. Lorsque Dieu m'éprouve et me purifie, je me sens seule, abandonnée par Dieu. Je n'ai pas la force de prier, je n'ai pas le courage de porter ma croix. Parfois je suis tentée de tout laisser. Pourquoi offrir? Pourquoi souffrir? Je me sens rejetée de Dieu.

La mort pour moi? La mort me serait si facile. Le malin ne cesse de me dire que je suis damnée, je ne crois plus à la Miséricorde de Dieu. Recevoir les sacrements est pénible pour moi. Le malin m'attaque physiquement, la nuit comme le jour. Le plus pénible c'est qu'il me faut paraître calme, souriante avec les gens. Personne ne peut savoir le drame, la lutte qui se passent en moi, les doutes de l'âme, de l'esprit, ma faiblesse pour lutter.

Je n'ai pas le courage pour combattre. Parfois je ne crois pas à ce que les pères Guy et Armand Girard me disent pour m'aider, pour moi ce sont des mots, des mots. Tout est néant devant moi, tout est noir. Combien de temps me faudra-t-il vivre dans cet état? Si Dieu existe, où est-Il?... Cela arrive assez souvent lorsque Dieu a besoin d'une plus grande purification pour Son Église, et l'humanité, et pour ma propre purification, et celle de mes fils spirituels.

Père Janko, je partage vos épreuves, et dites-vous bien que vous n'êtes pas seul à avoir ces croix. Mais avec la grâce de Dieu, je serai avec vous.

Les pères Guy et Armand Girard vous gardent dans leurs prières, surtout à la Sainte Messe, et nous vous offrons au Père avec Jésus comme prêtre et victime par les mains si pures de Marie Reine de la Paix.

Ensemble marchons dans l'abandon total à la Sainte Volonté du Père sur nous. Laissons-nous saisir par Son Amour Miséricordieux. Offrons à Dieu le Père Éternel les battements de nos cœurs comme des actes d'amour, de louanges, d'action de grâces, de reconnaissance, de remerciements de nous avoir donné Marie pour Mère, et Jésus pour nous racheter, de nous donner l'Esprit Saint pour nous conduire, nous éclairer, nous fortifier par Ses dons.

Offrons nos misères, notre pauvreté, notre contrition pour nos péchés, afin que tout soit purifié par le Précieux Sang de Jésus. Demandons les grâces que Dieu veut nous donner. Que tout soit action de grâce: joie, comme peine.

Père Janko, je tiens à vous remercier pour le magnifique tableau où notre Bien-Aimé Jésus est représenté sur la croix; c'est un sujet qui me touche au cœur, une image à méditer.

Ce regard suppliant semble nous dire: toi, suis Moi! Accepte par amour, console-Moi, surtout aime-Moi. Ce regard amoureux devant le geste de l'enfant nous invite à panser les plaies de Jésus, que nos péchés ont blessé. Avec la grâce de Dieu, je désire rester la petite servante de Dieu, pour consoler Jésus, et Marie, pour baiser Ses plaies.

Mon Bien-Aimé Jésus, donne-moi, s'il vous plaît, l'amour du Père Éternel, de Marie, pour guérir Tes plaies. Que la vision de Jésus crucifié me donne la force et le courage de Te suivre et de mourir avec Toi, sur notre croix.

Je demande à Dieu de bénir la personne qui a été inspirée à peindre ce tableau, qui console le cœur de Jésus, de Marie... L'auteur, est-ce vous? Grand merci, je l'ai placé dans ma chambre; en le regardant je médite, et cela m'aide et me console.

Père Janko, aux deux questions posées dans votre dernière lettre, la Très Sainte Vierge a répondu. Soyez assuré de nos prières et notre amitié et notre fidélité. Je me recommande à vos prières et sacrifices. J'ai tellement besoin d'aide, de prières dans cette mission de faire connaître l'Amour dans la souffrance par une plus grande intimité. Faire connaître le Père Éternel, le grand méconnu.

Père Janko, je demande au Père Éternel de vous bénir, de bénir votre idéal sacerdotal, et tous vos projets, de bénir tous ceux que vous portez dans votre cœur de prêtre, et dans votre prière. Je supplie Jésus crucifié de vous bénir et de répandre sur votre chère âme Son Précieux Sang dans l'amour, afin de vous purifier et de vous fortifier toujours. Que l'Esprit Saint soit avec vous en tout et partout, pour vous faire grandir dans l'amour de Dieu et des âmes.

Que Marie Reine de la Paix vous garde dans Ses bras de Mère, près de Son cœur, Elle qui vous aime tant et protège votre chère âme. Quel que soit votre âge vous êtes Son enfant, Son prêtre.

Ensemble chantons le *Magnificat* en action de grâces pour tout ce que Dieu fait en nous. Merci de Son Amour. Je prie toujours pour les voyants, pour qu'ils restent fidèles aux messages de Marie Reine de la Paix. Je demande à Marie de les bénir, de les protéger toujours, en leur donnant le courage de répandre les messages pour glorifier le Père Éternel et pour le triomphe de Marie.

Demandez pour nous une pensée dans leurs prières pour ceux que nous portons dans nos cœurs. Il faut que je vous quitte à regret. Je vous place dans les mains du Père Éternel, dans le cœur de Jésus, et de Marie.

Père Janko, je vous demande, s'il vous plaît, de me bénir et de m'offrir au Père avec Jésus par Marie Reine de la Paix. Merci, pour tout. Que vous souhaitez de plus que de grandir dans l'abandon total à la Sainte Volonté du Père qui vous aime d'un amour infini? Père Janko merci pour ce que vous faites pour Dieu, pour les âmes, et pour nous... Je serai avec vous tous le 8 décembre 1986.

La petite servante de la Sainte Trinité et l'enfant de Marie,

Georgette (Mimi)

Montréal, 26 novembre 1986

Père Janko,

Je tiens à vous remercier pour tout le travail apporté au témoignage. Cela vous a causé beaucoup de souffrances physiques et morales. Dans ces temps difficiles, moi aussi, Dieu me demandait d'offrir.

Que d'épreuves... cela me pesait, je sentais cette lourdeur de la croix. J'avais l'impression de trahir cette union avec mon Bien-Aimé Jésus. Dévoiler l'intimité de Dieu le Père Éternel, de Marie, de l'Esprit Saint. Combien j'étais heureuse d'être cachée aux regards humains. Mais voilà il me faut partager, donner aux autres ce que j'ai reçu par pure gratuité.

Parfois je sentais mon cœur blessé s'ouvrir pour une plus grande souffrance. C'est un supplice que je ressens chaque fois que j'y pense. Je désire que tout soit un rêve et non un cauchemar. Mais tout devient une réalité.

Que peut apporter à Medjugorje ce témoignage? Le malin me disait que tout est faux. Cela servirait à détruire les messages de Marie. Ce message aurait pu être livré après ma mort. J'ai souvent pleuré, c'était l'agonie de l'âme, du cœur, de l'esprit. Aujourd'hui Dieu me fait comprendre d'accepter par obéissance et de vivre dans l'abandon total à Sa très Sainte Volonté et d'enlever dans mon esprit, dans mon cœur, tout sentiment humain, toute crainte, toute peur.

Je dois me livrer totalement entre les Mains du Père Éternel, pour être fixée avec Jésus sur la même croix.

La prière du don total doit rester ma force, il me faut la vivre, la méditer, l'accepter par amour, pour rester bien placée au cœur même de l'Église, pour soutenir le Saint-Père Jean-Paul II, pour les âmes consacrées, pour la cause de Medjugorje.

Maintenant je me donne tout entière à l'Amour du Père Éternel, comme Sa petite servante, à Son service et au service de l'Église. Père Janko, un jour Jésus me fit comprendre ceci: «Dès qu'une âme cherche par elle-même à comprendre la vie spirituelle et à la partager selon ses principes à elle, là l'Esprit Saint n'a plus sa place et cette vie spirituelle perd de sa valeur, et même si après avoir fait beaucoup d'efforts cette âme reconnaît son erreur, elle sent le vide en elle.

«Une vie spirituelle n'est fructueuse et florissante que si elle est basée sur l'Amour, l'humilité, la charité, l'intimité, la confiance en Nous. La vie spirituelle n'est pas généralisée, c'est une affaire personnelle. Même dans la vie spirituelle, Nous respectons la liberté des âmes. Nous laissons l'âme libre de la choisir ou de la rejeter.

«L'âme qui veut vraiment marcher avec Nous dans ce sentier peut, si cela l'aide, référer à des traités de vie spirituelle, mais le meilleur auteur est l'Esprit Saint qui travaille avec amour dans une âme humble, soumise.

«Par l'intimité Nous parlons librement aux âmes. Chacune en particulier peut se dire: «Dieu me parle, m'écoute, me conseille, me dirige. Il m'entend, je ne suis plus seule pour souffrir, pour lutter. Oui, je crois qu'Il est là bien vivant en moi. Malgré mon indignité, Il S'abaisse et vient vivre en mon âme pour toujours si en toute humilité je reconnais mon néant et Lui ouvre toute grande la porte de mon âme afin qu'Il entre avec la Sainte Trinité et Son Amour.»

«Avec cela, une âme peut s'élever vers Nous dans un amour pur et avoir une vie spirituelle enrichie selon Notre Sainte Volonté sur elle. Cependant dans la vie spirituelle, l'âme qui s'abandonne avec confiance, avec amour et humilité ne peut atteindre cette perfection qu'avec Nous et en Nous. Si cette âme est docile aux inspirations de l'Esprit Saint, elle marchera d'un pas rapide dans la vie spirituelle malgré ses fautes, ses manquements, ses négligences, ses misères, cette âme est bien près de Nous.

«La vie spirituelle n'est pas une chose extraordinaire, difficile à atteindre, c'est simplement le développement de l'âme vers Nous.

«Comme le corps, l'âme a besoin de se nourrir, de se fortifier, de se développer, de grandir afin de Nous revenir. Une vie spirituelle bien comprise et acceptée par amour est cet élan qui lance l'âme vers Nous pour toujours. L'âme a été créée par Dieu. Elle doit Nous revenir tôt ou tard. Elle Nous reviendra un jour pour toujours.»

Père Janko, n'est-ce pas que c'est consolant pour nous. Je m'excuse de vous écrire si longuement, vous allez bien avoir un mal de tête pour un mois! Lorsque je parle de Dieu, je pourrais écrire jour et nuit pour faire connaître tout Son Amour pour nous.

Encore une fois merci du fond du cœur pour tout et union dans la prière toujours et rendez-vous dans le cœur de Jésus avec Marie.

La petite servante de la Sainte Trinité et enfant de Marie,

Georgette

Humac, 20 janvier 1987

Honorable et chère sœur Georgette,

Il y a trois jours, lorsque j'ai reçu vos courriers, j'ai lu en premier la courte lettre de la bonne Mme Daria. Ensuite j'ai attentivement ouvert ta longue lettre.

J'étais heureux de pouvoir échanger avec toi au moins par écrit. Mais dès que j'ai vu et lu le titre de ta lettre, j'ai été profondément troublé et embarrassé. D'où vient-il tout à coup que ce pauvre et petit frère Janko devienne «Bienheureux»? Je vous ai déjà dit une fois sincèrement, que cette relation d'amitié avec toi et Vicka, avec les nobles frères Girard et la bonne Mme Daria, me fait peur car je n'en suis pas digne.

Tout ceci je ne l'ai pas cherché, mais je me rends compte que je vous ai tous pris au piège. Mais laissons tout cela à l'Omniscient, une bonne fois Il nous le fera comprendre.

Lorsque j'ai reçu ta lettre il était 9 heures du soir. Je n'ai pas eu la force de la lire. Toutes mes forces sont réduites au minimum. En ce moment-ci, pendant que je t'écris ces quelques mots, la situation est la même.

Je n'essaierai même pas de te décrire cet état d'âme, cela ne peut pas se décrire. Cette fois-ci, il me semble être complètement abandonné à ma misère. Ainsi du fond du cœur, je peux répéter avec le psalmiste: «Je suis pauvre et misérable, Seigneur, aie pitié de moi. » Il ne reste qu'un rayon de grâce qui me lie dans la foi avec Celui qui ne peut pas nous abandonner. Combien de fois mon âme comme la tienne a été tiraillée par le doute, le Pourquoi… À quoi bon… Jusqu'à quand… ?

Ainsi j'ai sué dans le lit dur de ma vie, me défendant avec ces paroles lumineuses, dites par notre Frère et Maître «Mon Dieu, mon Dieu, pourquoi m'as-tu abandonné?» J'ai compris avec soulagement que ces paroles ont été justement prononcées pour nous, pour pouvoir parfois les répéter dans la confiance.

Tout de même la nuit a passé, le nouveau jour s'est levé et j'ai commencé à lire ta lettre. Je n'ai jamais lu une telle lettre écrite par la main humaine.

Tes paroles et tes pensées s'arrachaient des profondeurs de mon âme mais je n'aurais jamais été capable de les exprimer ainsi.

Je n'aime pas particulièrement écouter ni penser aux misères des autres, mais les tiennes m'ont porté à la méditation. Je les ai senties inspirées.

Cela m'a beaucoup aidé à garder l'espoir et la confiance dans l'Amour qui nous blesse. Et je me suis rappelé que ces blessures-là ne se soignent qu'avec d'autres grandes blessures.

Chère sœur, merci! C'est inutile d'y ajouter autre chose.

Je suis convaincu que nos chemins ne se sont pas croisés par hasard. Un jour tout sera plus clair. Que soit béni le Père de la Lumière pour cet éclaircissement. Dans ma souffrance, je pense à toi plusieurs fois par jour. Du fond de mon cœur, je prie Jésus, Marie et Joseph de t'aider dans ton abandon total. Il me semble que je ne peux rien te souhaiter de plus beau, car c'est ce que je désire pour toi.

Tu m'écris que la Maman a répondu à mes deux questions. Je n'ai pas très bien saisi Ses réponses. Mais que Sa Volonté soit faite. Vicka m'a dit qu'elle a demandé à la Vierge pour ma santé et Elle a souri. La Maman sait ce qu'Elle fait.

Chère Mimi, la fatigue me prend, je dois terminer. Ne m'oublie pas dans ton intimité avec le Seigneur. Demande-Lui de me donner la patience dont j'ai tellement besoin.

De la paix en abondance, dans le cœur de Jésus, dans les bras de Sa Mère Marie, Reine de la Paix, je le souhaite de tout cœur.

Ton pauvre frère Janko

Montréal, 8 avril 1987

Janko, enfant Bien-Aimé du Père Éternel,

N'est-ce pas le plus beau nom que je puisse vous donner, après celui reçu à votre baptême et à votre ordination sacerdotale, prêtre et victime, au service de Dieu et des âmes?

Chaque jour je découvre la joie de servir. Oui, être servante comme notre douce Maman du Ciel. Servir dans l'humilité, servir dans la joie, servir dans la peine. À ce sujet, mon Bien-Aimé Jésus me fait comprendre de garder le sourire en servant.

Mon Bien-Aimé Jésus: «Pourquoi offrir une figure triste dans le service? Ma Bien-Aimée petite servante, regarde-Moi toujours dans celui que tu sers, et donne davantage, par amour. Donne-Moi ta fatigue, donne-Moi la lourdeur de ta croix, donne-Moi cet état d'âme; en Me donnant tout par amour, tu Me sers... Il faut Me servir dans le prochain, avec les petits, les malades, les blessés de la vie, les rejetés, les abandonnés, etc.»

Cela me porte à offrir plus en regardant le travail accompli par vous, les Pères Guy et Armand Girard, Madame Daria, et tous ceux qui, de près ou de loin, aident à la diffusion des messages de Marie Reine de la Paix.

Père Janko, je tiens à vous remercier d'une manière toute spéciale pour le magnifique travail avec le témoignage. Cette lourde responsabilité que vous avez portée avec amour, puisque c'était le désir de Jésus afin de Le glorifier et pour le triomphe de Marie Reine de la Paix.

Combien de fois j'ai supplié Dieu le Père de venir à votre aide. Je demandais à Maman Marie dans les heures de fatigue, de faiblesse, de vous porter dans Ses bras de Mère, près de Son Divin Cœur qui vous aime tellement.

Père Janko, moi aussi j'ai des doutes, mes craintes, la peur, la honte de mentir en me disant que tout était faux. J'aurais voulu tout détruire, ne plus entendre parler des messages, des témoignages, de Medjugorje, des voyants, etc. Même les Pères Guy et Armand Girard étaient une croix très lourde à porter. Leur foi aux apparitions de Marie Reine de la Paix et Ses messages me faisait souffrir.

Parfois j'aurais voulu crier mon désespoir en disant: je ne suis rien. Pourquoi me livrer au monde!... Pendant des mois cette longue agonie était gravée dans mon cœur, me blessant davantage, la profondeur de cette douleur m'empêchait de respirer dans cet abîme de misère. Il me semblait que Dieu me rejetait; je n'entendais plus Sa voix.

Maman Marie était si loin, si loin... rien ne pouvait L'atteindre, mes larmes, mon cri de désespoir. Je Lui disais qu'une mère ne peut abandonner son enfant, surtout si cet enfant souffre, est malade, infirme, aveugle, pauvre.

Où était-Il ce Jésus, ce Bien-Aimé que Dieu le Père m'avait donné comme époux? L'Esprit Saint était absent. Je ne pouvais même pas saisir Son action sur mon âme; mon esprit tourmenté, ma volonté se refusaient d'intervenir. C'était comme si tout circuit était coupé de mon existence; j'étais immobile comme une momie (et non comme une Mimi).

J'étais devenue une statue que l'artiste divin devait à nouveau ciseler pour lui redonner vie, redonner l'éclat de mes yeux devenus fixes comme ceux d'une morte, cette bouche fermée, ce corps figé, glacé, ce cœur blessé par le trop plein d'amour que j'aurais voulu vivant, comme autrefois avec Jésus. Mais tout en moi s'écroule, tombe en ruine.

Dans ma souffrance je disais à Dieu: «Est-ce là le prix de la Rédemption? À quoi a servi le Sang Précieux de Ton Fils pour mon âme? Pourquoi Marie me laisse-t-Elle tomber, au lieu de me prendre dans Ses bras de Mère, où malgré mes péchés, mes misères, j'allais me réfugier près de Son Cœur Immaculé, ce cœur si grand, si pur?»

Après ces luttes, avec la grâce de Dieu, la prière confiante des Pères Guy et Armand Girard, me sentant soutenue par vos prières et celles des voyants. Et nous avons prié avec plus de ferveur la si belle Prière pour la Paix: *Paix, Ô douce Paix*.

Mais le rayon de soleil est venu par la belle petite image que j'ai reçue de vous. Père Janko, ce n'est qu'au ciel que vous saurez le bien que cette image m'a apporté, combien de bonheur, de paix! Sur cette image Marie était représentée avec un cœur entouré de fleurs. Mon Bien-Aimé me fit comprendre que cela signifiait que chaque fois que mon cœur est blessé, cela donne à Marie Reine de la Paix une rose qu'Elle offre au Père Éternel pour Le glorifier avec nos souffrances.

Je pense souvent à vous, à vos souffrances que vous portez en silence, avec amour. Le témoignage a été pour vous une lourde croix à porter, surtout celui venant du Canada.

Nous devons rendre grâce à Dieu le Père Éternel pour tout, de vous avoir aidé par l'Esprit Saint. Marie Reine de la Paix devait être continuellement avec vous. Ce témoignage était pour glorifier le Père Éternel, et pour le triomphe de Marie Reine de la Paix, afin de faire reconnaître l'authenticité des apparitions. Chaque jour je demande au Père Éternel, que le Saint-Père Jean-Paul II puisse se rendre dans ce lieu béni et visité par la Reine du Ciel et de la terre, pour prouver au monde entier la vérité, et aussi pour donner un exemple de foi, d'amour envers la Mère de Dieu, notre Mère, Marie Reine de la Paix.

Je demande à Dieu que l'Alliance du Ciel et de la terre soit permanente, par l'arc-en-ciel, près de la Croix qui représente le salut, la Rédemption. Où il y a une croix la Très Sainte Vierge Marie est présente avec Son Cœur rempli d'Amour...

Père Janko, voulez-vous demander avec moi d'avoir assez d'humilité pour accepter en silence les épreuves et les croix. Parfois j'ai honte d'offrir à Jésus mes misères, mes fautes, mes péchés, et Jésus me rassure en me disant ceci:

Mon Bien-Aimé Jésus: «Ma chère petite servante, quel bonheur aurais-Je à visiter une âme où il n'y aurait rien à faire? C'est bien parce que tu es malade que Je viens en toi. N'oublie pas Ma chère petite, l'orgueil a perdu l'homme. L'humilité de Marie l'a sauvée. Si tous les hommes comprenaient cela, il n'y aurait plus de guerre, vous connaîtriez la Paix en ce monde.»

Père Janko, préparons nos âmes et nos cœurs à vouloir, avec la grâce de Dieu, suivre Jésus crucifié. Oui, Le suivre avec nos hésitations, avec notre pauvreté. Parfois ma pauvre nature se refuse, par peur de la critique surtout devant le témoignage. Mon Bien-Aimé me reprend en disant:

Mon Bien-Aimé Jésus: «Pourquoi désires-tu être Ma petite victime d'amour? Crois-tu que le désir a suffi à la Rédemption? Que serait devenue la croix sans la victime? Serais-tu comme bien d'autres: victime que de nom? Pourquoi attends-tu que Je te demande quelque chose? Ne crains pas, donne-Moi la main, allons avec amour vers la croix.»

Et je lui dis: «Par amour, mon Bien-Aimé, je t'offre ma vie telle que Tu la désires: pour l'Église, le Saint-Père, les messages, et pour le témoignage.»

Père Janko, je ne vous oublie pas dans mes prières à toutes vos intentions spirituelles et temporelles. Je demande à Marie Reine de la Paix de poser Sa main puissante sur vous en demandant votre guérison pour continuer à nous aider et pour soutenir les voyants.

Père Janko, grand merci pour tout et donnons-nous la main pour marcher ensemble avec les Pères Guy et Armand Girard dans ce Chemin de la Croix, pour être avec Jésus le Vendredi Saint, 17 avril 1987. Portons nos croix avec foi, confiance, patience et amour pour glorifier Dieu le Père Éternel, pour le triomphe de Marie Reine de la Paix, et pour l'Église, pour le Saint Père. Rendez-vous dans le cœur de Jésus et celui de la Sainte Vierge Marie, le Jeudi Saint, où Marie vous offrira avec les Pères Armand et Guy Girard et tous les prêtres, comme victimes d'amour en holocauste avec Jésus au Père Éternel. Oui, vous donner pour sauver le monde et avoir la Paix.

Père Janko, soyez assuré de nos prières. Je demande à Dieu le Père de vous bénir, Lui qui vous aime assez pour vous choisir comme Son prêtre. Je demande à Jésus de vous bénir par Son Précieux Sang. Je demande à Marie Reine de la Paix de vous garder dans Ses bras de Mère.

Père Janko, je vous demande s'il vous plaît de me bénir et de m'offrir avec Jésus à chacune de vos Messes. Grand merci.

La petite servante de la Trinité,

Georgette Faniel

Humac, le 13 mai 1987

Honorable et chère sœur Georgette!

Tout d'abord, merci pour ta grande lettre, du 8 avril dernier, remplie de sagesse et de bonté. Merci en même temps pour les prières et les bons souhaits dont ton cœur déborde, ainsi que ta lettre.

Je suis affaibli à ce point qu'il m'est impossible de te répondre d'une façon respectable. Tout ce que je peux, c'est te porter quotidiennement dans ma misère et dans mes faibles prières.

Je me trouve présentement dans un état difficile. Je suis seul jour et nuit et je souffre de maux de tête auxquels s'ajoutent d'autres maux psychiques et physiques.

Il m'a été dit clairement, par Vicka, que ma souffrance est entièrement dirigée par en haut, mais elle me pèse de plus en plus. J'ai du mal à l'endurer, c'est pourquoi, je te demande, quoique indigne, d'adresser une prière fervente à la Reine de la Paix ou à un de tes interlocuteurs célestes, pour qu'ils m'aident et me fortifient dans ma misère, et pour que je puisse, comme j'en avais l'habitude, me rendre tous les soirs à Medjugorje. C'est tout ce que je demande, et non pas de me libérer de toutes les souffrances. Il en restera toujours suffisamment. Si jamais tu reçois quelque réponse pour moi, je te prie de me l'envoyer par la poste.

Chère sœur, je te demande de prier, jusqu'à ce que tu sois exaucée. La Mère t'écoutera, toi, et t'exaucera.

Transmets mes salutations à tes fils, mes frères Girard.

Dans le cœur de la Reine de la Paix et de Son Fils, je t'envoie mes salutations fraternelles.

Pauvre frère Janko

16 juin 1987

Cher Fils du Père Éternel,

Janko de Marie, petit prince de la Reine de la Paix,

Je tiens à vous remercier pour votre lettre si remplie d'épreuves. En lisant ce cri de détresse, mon cœur partageait votre peine, et mon âme éprouvait la même douleur, puisque votre grande souffrance unie à Celle de Jésus et notre douce Maman du Ciel sont pour nous le lien que Dieu dépose en nos âmes, pour nous permettre de Le suivre jusqu'à la croix.

Mon Bien-Aimé Jésus: «Il n'y a qu'un seul Chemin de Croix. Chemin étroit pour les petits, les humbles... pas pour les âmes gonflées d'orgueil... elles ne pourraient pas, il n'y aurait pas de place. Chemin douloureux, pour les âmes vraiment généreuses, au service de Dieu, et du prochain. Ce chemin n'est pas fait pour les âmes qui ne sont généreuses qu'en paroles, qu'en actes récités et non pratiqués.

«Chemin de Croix accompli chaque jour, à chaque instant, par amour, par bonheur et fidélité. Chemin de Croix fait par devoir d'état, rempli chaque jour avec amour et pleine conformité à la Sainte Volonté de Dieu, en union à Mon chemin de Croix pour sauver des âmes vivantes.

«Que dire du Chemin de la Croix parcouru en quelques minutes, en faisant le tour de l'église, l'esprit préoccupé à gagner des indulgences, l'esprit rempli de distractions! Et l'on offre cela pour les pauvres âmes du purgatoire! Que sert à l'âme de vouloir faire le Chemin de la Croix, et de ne Me suivre que des yeux?»

La Rédemption aurait été vite faite si Jésus avait agi de la sorte! Mon Bien-Aimé me fit comprendre ceci:

Mon Bien-Aimé Jésus: «Je n'aurais eu qu'à jeter les yeux sur la passion, sur le monde. Non, Mon Père voulait plus. J'ai une confidence à te faire

Ma Bien-Aimée: le plus méritoire, le plus beau Chemin de la Croix que l'on puisse offrir à Mon Père, c'est le Chemin de Croix fait avec Moi chaque jour, à chaque heure, à chaque instant en union à Ma passion.»

Père Janko, en acceptant les petites croix de chaque jour, avec amour, avec conformité à la Sainte Volonté du Père, de cette manière le Chemin de la Croix a plus de valeur, et il est plus méritoire pour délivrer les âmes du purgatoire, et plus efficace pour sauver les âmes des vivants.

Mon Bien-Aimé Jésus: «Nous avons une fausse idée du Chemin de la Croix. L'on croit qu'il n'est utile qu'aux âmes du purgatoire. Dans ce cas J'aurais pu attendre la fin du monde pour accomplir la Rédemption! Combien d'âmes seraient sauvées si les gens faisaient souvent le Chemin de la Croix avec Moi en union à Ma passion, pour sauver les âmes des pauvres pécheurs. Les mérites, les souffrances de Ma Passion n'ont pas été appliqués qu'aux âmes du Purgatoire. Je Me suis donné à tous sans exception, mais Je suis venu surtout pour les pécheurs.

«Quant aux âmes du Purgatoire, elles sont plus en sécurité que les pécheurs parce qu'elles sont dans un lieu où Je les purifie. Le Chemin de Croix aide les âmes qui ne comprennent pas encore le Don Royal de la Croix.»

Cher Père Janko, vos croix, vos épreuves, les souffrances que Dieu vous envoie, c'est le plus beau cadeau que vous puissiez recevoir. Car dans Son Amour pour vous et Sa Sagesse infinie, Il désire vous associer aux souffrances de Son Fils Jésus, afin que Jésus et Janko puissent marcher ensemble dans le sentier si étroit de la souffrance, en portant avec amour, patience et résignation, en conformité à la Sainte Volonté du Père, cette Croix, gage de notre salut.

Offrons et prions pour les âmes consacrées. Le Saint-Père Jean-Paul II souffre tellement de la conduite et de l'indifférence de certaines âmes consacrées. Comment peut-il confier le peuple de Dieu avec des pasteurs qui s'égarent du droit chemin et qui n'ont plus la foi en leur sacerdoce?

Qui va maintenant conduire le peuple de Dieu? Qui pense maintenant au manque de vocations? C'est une très dure épreuve et une plaie au Cœur du Père Éternel et pour la hiérarchie de l'Église.

Père Janko, nous devons nous offrir malgré notre indignité, notre misère. Offrons-nous à l'Amour Miséricordieux du Père par les Mains de Marie Reine de la Paix.

Père Janko, tous les jours dans ma prière, je pense à vous et aux voyants. Je vous offre au Père avec Jésus par Marie. Dieu le Père veille sur vous et vous aime. En vous regardant souffrir physiquement et spirituellement, Il voit aussi Son Jésus, Son Fils.

Soyez assuré que vous n'êtes jamais seul. Dieu est en vous, avec vous toujours. Je demande tous les jours à Marie de vous porter dans Ses bras de Mère, près de Son Cœur qui vous aime tant.

Cet état de souffrance aiguë en votre chère âme vous place dans une plus grande purification, mais Dieu veut nous identifier à Son Jésus, Son Fils Bien-Aimé. Ces maux de tête persistants, Jésus les connaît par Sa Couronne d'épines. Ces moments de solitude, Jésus les a eus.

Père Janko, soyez assuré de nos prières. Et chaque jour, je présente à Marie Reine de la Paix, vos prières, vos demandes, vos actions de grâces, vos désirs, pour les offrir au Père, avec Jésus.

Père Janko, avec la grâce de Dieu, j'ai foi et confiance que vos demandes seront exaucées, parce que je vous place dans les bras de Marie avec Jésus pour présenter au Père Éternel ce dont vous avez besoin. Et le Père Éternel ne peut rien refuser à Marie parce que Marie a toujours accepté le Sainte Volonté du Père, en répondant toujours *Oui*. Et c'est avec Jésus dans Ses bras que Son *Oui* a été accepté: *Oui* à la crèche, *Oui* à la Croix, Son *Fiat* de toujours, de tous les instants pour l'éternité. Ce *Oui* Jésus le redira par le don total. Oui, Père Janko, il faut s'abandonner au Père en tout et partout.

Sainte Thérèse disait que nous sommes exaucés selon notre foi, notre confiance.

Cher Père Janko, laissons-nous prendre dans les bras de Marie afin de refaire nos forces, et nous laisser reposer sur Son Cœur adorable. Oui, restez là bien confiant, comme un enfant gâté, par la grâce et l'Amour du Père qui vous aime, d'une Mère qui veille sur vous, et Jésus qui est en vous, avec vous toujours. Méditez bien ce message rempli d'amour, de miséricorde, de confiance.

Dieu vous aime trop pour vous laisser seul.

Je demande à Marie Reine de la Paix de rester avec vous, surtout dans les moments difficiles. Le malin ne peut rien, car Marie vous protège.

Je me réjouis avec vous d'apprendre que votre souffrance vient d'en Haut. Cette souffrance est déjà bénie du Père.

Cher Père Janko, je me recommande à vos prières, j'en ai grand besoin. Ce n'est pas toujours facile, mais je garde l'espoir et la foi que Dieu est toujours là pour me protéger par l'Alliance. Que Marie Reine de la Paix nous donne la paix de l'âme, du cœur et de l'esprit.

Au plus profond de nos misères, Dieu semble dormir, mais Son Cœur de Père veille toujours. Il nous permet de reconnaître nos limites par les épreuves de chaque jour, et cela m'aide à augmenter ma confiance en la Divine Providence.

N'oublions jamais que tout est grâce devant Dieu. Continuons de nous offrir avec Jésus, comme prêtre et victime, pour le salut du monde, pour la gloire du Père Éternel, pour le triomphe de Marie Reine de la Paix.

Voulez-vous me bénir s'il vous plaît.

Grand merci du fond du cœur.

La petite servante du Père Éternel,

Georgette Faniel

Montréal, Dimanche le 19 juillet 1987

Père Janko Bubalo,

Janko, fidèle serviteur de Dieu, de l'Église, pour glorifier le Père Éternel, pour le triomphe de Marie Reine de la Paix.

Ce titre m'a été donné après la récitation du chapelet, dimanche le 19 juillet à 8 heures, p.m.

Père Janko, depuis votre dernière lettre, je n'ai jamais cessé de prier pour vous, et à toutes vos intentions spirituelles et temporelles. Chaque jour je vous offre au Père, avec Jésus par les Mains de Marie Reine de la Paix.

Père Janko, parfois Dieu le Père nous éprouve par de grandes tentations. Il nous faut une grâce spéciale pour saisir la situation, pour comprendre cet état d'âme où nous sommes placés. Je sais que vous avez souffert un vrai martyre. Souvent j'ai pleuré avec vous, vous sachant si loin, mais si près de Marie. La lutte a été terrible, mais le regard de Jésus était caché derrière cette grâce, cette tentation. Merci à Dieu dans cette épreuve, en acceptant la Sainte Volonté du Père, sur vous. Dieu a sûrement pleuré de joie en vous voyant accepter par amour et soumission.

Combien de fois dans ma pensée je voyais votre cœur déchiré par la douleur morale... votre pauvre corps meurtri, affaibli, épuisé par les attaques du malin. Mais le temps, la durée de cette tentation étaient fixés par notre Père.

Si vous saviez le nombre d'âmes que vous avez sauvées, avec Jésus et Marie, avec l'aide de l'Esprit Saint!

Parfois, il y a un manque d'adaptation au plan de Dieu. Dans le Plan Divin nous semblons ne pas comprendre les desseins de Dieu sur nous, sur notre avenir. Est-ce que nous comprenons bien ce que comporte notre mission... ce don donné par pure bonté d'un Roi pour sauver des âmes? Dieu connaît le fond de notre grand cœur, qui parfois devient petit lorsqu'il est placé dans les bras de Marie avec Jésus. Non, jamais Maman

Marie ne vous laissera tomber. Dieu sait depuis longtemps ce qu'Il veut de vous, de vos souffrances, de vos croix. Il veut tout!

Un jour Dieu me fit comprendre de rester petite, bien humble en me disant ceci:

Mon Bien-Aimé Jésus: «Un jour, J'ai dû me faire petit pour vaincre le monde, pour sauver le monde, non par Ma force, Ma puissance, mais par ce qu'il y a de plus simple, l'Amour. Que dirais-tu si un jour ton petit cœur refusait de battre en disant: «Mon corps est plus grand, plus fort, qu'il s'arrange seul?» Que deviendrait ton corps sans l'aide de ton petit cœur?»

Tout ce qui doit compter dans la vie, est en premier lieu l'Amour et la conformité présente à la Sainte Volonté de Dieu, une adaptation aux Plans Divins sur nous, une générosité sans borne au service de Dieu et des âmes, un Amour plus grand de la croix, des souffrances, surtout dans les grandes tentations, pour plaire à Dieu et obtenir avec Jésus le salut des âmes.

L'Amour et le devoir ne se séparent jamais. Nous avons chacun notre part. Tout ce qui compte aux yeux de Dieu, c'est l'acceptation, la conformité à Sa Sainte Volonté et tout cela accompli avec un amour pur, avec confiance, pour plaire au Père.

Père Janko, voici quelques mots dans mes notes spirituelles qui vous aideront, avec l'aide de Dieu:

Mon Bien-Aimé Jésus: «Ma Bien-Aimée, en 1956, Je pourrais encore répéter ces mots: J'ai soif... donne-Moi des âmes. Offre-Moi souvent ton amour comme si c'était une coupe remplie d'eau fraîche, qu'elle soit limpide comme l'eau d'une source pure, c'est-à-dire aucune poussière par tes manquements, après cela Je pourrai boire. Me rassasier. J'ai besoin de ton petit cœur, de ton amour pour étancher Ma soif. Un jour ton directeur et Moi boirons à la même coupe.

«Pour le moment, vous boirez parfois le calice amer, rempli d'amertume. Mes enfants, lorsque J'arrive avec les grandes épreuves et que Je vous présente Mon calice à boire, acceptez tout. Ayez confiance et regardez bien à la fin, après l'avoir accepté, et là vous trouverez toujours au fond du calice une goutte de Mon Précieux Sang et de Mon Amour, pour vous réconforter, Mes enfants que J'aime.

«Après chaque épreuve, tentation, remerciez-Moi, bien sincèrement du fond du cœur, non que l'épreuve soit finie, mais de la grande faveur, de la grande bénédiction que Je vous envoie par Amour, pour faire expier, mériter, sauver des âmes qui nous rendront gloire pendant l'éternité.»

En vous faisant lire ces notes spirituelles, je désire vous faire connaître l'intimité de Dieu dans une pauvre petite âme.

Père Janko, j'espère que votre santé s'améliore. Je garde au plus profond de mon âme cette prière de demande à vos intentions: Que le Père pose Sa Main sur vous pour vous bénir. Que Jésus verse Son Précieux Sang afin de vous guérir. Que l'Esprit Saint soit toujours avec vous. Que Marie Reine de la Paix vous garde dans Ses bras près de Son cœur qui vous aime.

Père Janko, veuillez me bénir, s'il vous plaît. Je vous remercie. Je prie toujours pour les voyants et voyantes, afin qu'ils restent fidèles à l'Amour de Marie pour chacun...

Bien à vous avec le cœur de Jésus et de Marie.

La petite servante et mendiante de l'amour de Dieu le Père Éternel,

Georgette Faniel (Mimi)

Montréal, le 1ᵉʳ décembre 1987

Père Janko Bubalo,
Janko du Père Éternel, et enfant chéri de Marie.
Mon cher frère Janko,

J'apprends avec peine l'épreuve, la souffrance, la croix que Dieu le Père vous demande de porter, avec Jésus et Marie. Comme je voudrais porter vos souffrances!

Mais la souffrance a une valeur infinie aux yeux de Dieu, et je crois que l'état d'âme où Dieu vous place, vous fait mériter davantage, parce que l'amour dans la souffrance n'a pas de prix. Dans le Corps Mystique, il faut que tous les membres soient utiles, s'entraident.

Parfois le plus petit a besoin du plus fort, puis un jour vient où le plus fort a besoin du plus petit. Je pense à notre Bien-Aimé Jésus qui, un jour, dut se faire petit pour vaincre le monde, pour sauver ce monde, non par la force, la puissance, mais par ce qu'il y a de plus simple: l'Amour.

Je médite souvent sur l'Amour du Tout-Puissant, sur Sa Miséricorde, sur Sa Sagesse, sur Son Amour pour chacun de nous. Par la maladie, Il nous rend petit dans nos limites physiques, mais Il nous fait grandir dans Son Plan Divin.

Tout ce qui doit compter dans notre vie est en premier lieu l'Amour et la conformité présente en Sa Sainte Volonté, par une adaptation sans borne à Son service, et celui du prochain. Cher Janko, cette route dans la souffrance et l'amour, vous la connaissez depuis si longtemps. C'est pourquoi Dieu le Père Éternel vous en demande davantage, afin de vous identifier de plus en plus à Son cher Jésus, pour qu'avec Lui, et par Lui vous coopériez au salut des âmes.

Chaque jour, je vous confie entre les bras de Marie Reine de la Paix, pour qu'Elle intercède pour vous, qu'Elle vous protège de vos ennemis visibles et invisibles.

Cher frère Janko, votre grande mission dans l'Église est tellement grande! Nous avons besoin de vous, de vos souffrances, de vos prières et sacrifices pour redonner Marie au monde, pour La faire connaître comme notre Mère, La faire accepter, mais surtout La faire aimer.

Cher frère Janko, merci de présenter Marie Reine de la Paix par le Témoignage[32].

---

[32] Il s'agit du livre *Marie, Reine de la Paix, Demeure avec nous*, Editions Paulines, 1987.

Merci de m'avoir livrée au monde pour la gloire du Père Éternel, et pour le Triomphe de Marie Reine de la Paix.

L'immolation de l'âme est la dernière visite du Père Éternel. Puis la porte de la petite demeure se fermera pour toujours aux choses de la terre.

Merci de vos offrandes, de vos prières pour me soutenir. Au début cela n'a pas été facile pour vous, pour les Pères Girard et pour la petite servante. Mais nous avons tous accepté par obéissance et amour envers le Père Éternel, et selon le désir de Marie. J'ai compris ce que j'aurais perdu en refusant de témoigner. Je pensais souvent à vous, à votre grande souffrance physique et morale, devant tout le Témoignage.

Jésus me faisait saisir et partager votre état d'âme. Se sentir seul dans l'abîme, voir s'écrouler un idéal, ne ressentir aucun secours, Divin et humain. Seul avec la réalité. C'est le vide complet, même pas l'ombre d'un petit espoir, mon âme se débattait, mais au plus profond de cet état, il y avait une toute petite étincelle d'amour.

Mon cher frère Janko, si vous saviez comme Dieu le Père Éternel vous aime! Oui, vous êtes un enfant privilégié de la Vierge Marie. C'est pourquoi je demande à Maman Marie Reine de la Paix de poser Sa main sur vous pour vous bénir dans les moments difficiles. Qu'Elle vous place dans Ses bras de Mère, là vous serez en sécurité, pour toujours.

Laissez-vous saisir par Son Amour, n'ayez pas peur de ce geste. Elle qui ne cesse de vous soutenir, et vous regarde avec Amour. Seule une mère qui aime son enfant peut agir de la sorte. À chaque Eucharistie, Marie vous offre au Père Éternel, avec Son Jésus comme prêtre et victime, en holocauste d'amour, pour soutenir le Saint-Père Jean-Paul II, pour l'Église et l'humanité, pour Medjugorje, etc.

Père Janko, ensemble redoublons de foi, de confiance; que Dieu et Marie soient avec nous, puisque Jésus possède notre amour. Avec l'Esprit Saint pour nous aider, nous soutenir et nous donner toujours la paix du cœur et de l'esprit.

Cher frère Janko, soyez assuré de ma prière à vos intentions et celles des voyants, pour les soutenir dans leur mission. Je demande au Père Éternel que le Triomphe de Marie, Reine de la Paix se fasse durant l'Année Mariale, et que le Saint-Père Jean-Paul II puisse se rendre à Medjugorje pour aller prier et redire son amour à Marie, et lui confier toute l'humanité, spécialement les âmes consacrées.

Mon cher frère Janko, gardons notre confiance, car le découragement est un manque de vertu. Dieu sait tout. Dans Sa sagesse infinie, Il nous donne ce que nous avons besoin pour lutter, mais surtout pour accepter avec humilité ce qu'Il désire, pour le plus grand bien de nos âmes, afin d'aller un jour vers ce bonheur éternel.

Durant cette période de l'Avent, avec Marie, préparons nos cœurs pour recevoir ce beau petit Jésus. Donnons-Lui asile dans nos âmes. Gardons nos esprits et notre volonté libres, en nous détachant des choses de la terre, du monde et de nous-mêmes. Que notre regard soit fixé vers Marie, vers le Père Éternel, dans l'attente de ce Bel Amour qui va naître en nos âmes par Jésus notre Bien-Aimé, que nous recevons avec foi et confiance, en redisant à Notre Père: merci, que Votre Volonté soit faite, en nos cœurs, en nos âmes, pour Votre plus grande gloire et le Triomphe de Marie Reine de la Paix.

Mon cher frère Janko, il faut que je vous quitte, mais je reste unie par la prière. Je vous demande s'il vous plaît de m'offrir au Père avec Jésus par Marie, à chaque Eucharistie, pour que je puisse toujours accepter la Sainte Volonté de Dieu sur Son humble servante. Veuillez me bénir. Merci du fond du cœur.

Une petite bénédiction pour ceux et celles que Dieu me confie et que je porte en mon cœur. Rendez-vous au pied de Jésus à la crèche.

La petite servante du Seigneur,

Georgette Faniel (Mimi)

Montréal, le 20 avril 1988

Père Janko Bubalo,

Enfant chéri de Marie,

Oui, enfant chéri de Marie! C'est comme cela que notre Douce Maman vous porte dans Ses bras de Mère. Marie connaît votre grand désir de vouloir faire plus, mais Elle connaît surtout votre grand cœur, votre amour de servir.

Mais l'acceptation de la Sainte Volonté de Dieu sur vous est plus méritoire, vous en savez quelque chose. Marie a besoin d'une âme pour La consoler, pour L'aimer. Dieu le Père Éternel cherche une âme pour Se reposer, converser, pour aimer davantage.

Jésus est heureux d'avoir une âme qui marche avec Lui dans le Chemin de la Croix, une âme libre, détachée des choses de la terre, et du monde. Il a tellement besoin d'une âme bienveillante, une âme souriante, une âme docile aux inspirations de l'Esprit Saint, de la grâce... une âme humble, remplie de Dieu, une âme qu'Il veut cacher bien profondément dans Son Divin Cœur, pour toujours.

Cher frère Janko, Dieu veut tout de vous. Il vous aime, vous l'enfant chéri de Marie, avec ce petit cœur rempli d'amour. Je remercie Dieu le Père Éternel de vous donner un temps de répit dans la maladie pour refaire vos forces physiques. Vous avez tellement travaillé, votre corps est sûrement épuisé, mais votre cœur est si grand, si rempli d'amour de Dieu, de Marie, et aussi pour les enfants du Père, que vous voulez travailler davantage, mais la vertu de prudence est toujours là, pour vous soutenir. Et l'Esprit Saint vous guidera, puisqu'Il est en vous continuellement.

Père Janko, je prie toujours pour vous, et à toutes vos intentions spirituelles et temporelles. Je vous remercie de m'offrir au Père avec Jésus, par Marie, à chacune de vos Messes.

Frère Janko, je veux partager avec vous ce que Dieu a fait de beau, de grand, de merveilleux dans son humble servante. Voilà:

Le 20 janvier 1988, à 9 heures et quart du matin, j'étais atteinte d'une paralysie du côté droit. Je ne pouvais pas parler, à peine des sons, incapable de bouger les membres du côté droit. Cela a duré jusqu'à 5 heures et quart de l'après-midi. Pendant cette période, j'offrais tout à Dieu, demandant à Marie de m'aider, de me soutenir.

Malgré les bons soins, il n'y avait rien pour me soulager. Vers 5 heures, le Père Armand Girard vient me rendre visite pour m'aider à tout offrir, mais surtout pour prier. Avant son départ, il me bénit, puis intérieurement, j'entends bien clairement ceci:

Mon Bien-Aimé: «Ma Bien-Aimée, reçois le Corps du Christ, et tu guériras.»

Ne pouvant parler, je voulais demander la communion, mais impossible, aucune parole ni signe ne pouvaient atteindre le Père Armand.

C'est alors que je demande au Père Éternel et à Maman Marie de permettre au Père Armand Girard qu'il reçoive et entende ce que je venais d'entendre. Grand silence de prières ferventes. Avant de partir, le Père Armand me bénit, et à ma grande surprise me dit: «Mimi, aimerais-tu communier, il me semble que cela te ferait du bien.»

C'est avec les larmes et le cœur rempli de joie que je faisais signe que *oui*. Après la communion où je n'avais reçu qu'une parcelle d'hostie, ne pouvant avaler facilement à cause de la paralysie, le Père Armand me dit: «Je dois te quitter pour aller dire tout au Père Guy Girard, pour prier; maintenant continue de faire l'action de grâce avec Marie, moi je dois partir.» Puis il me donna sa bénédiction et chanta pour saluer Marie «Tu es toute belle, acclamée par les anges», puis le chant *Mirtha, ô Mirtha*. Puis une dernière bénédiction.

Je lui répondis: «Merci, merci beaucoup, je suis guérie, guérie complètement.» Père Janko, c'est avec des larmes de joie, que nous disions merci à Dieu, merci à Maman Marie.

Oui, j'étais guérie, complètement guérie par la communion, par notre foi, par la présence réelle de Jésus dans l'Eucharistie.

Je suis heureuse de vous faire partager ce grand bonheur. Par délicatesse de Dieu, l'Évangile de ce jour 20 janvier 1988 était de saint Marc quand Jésus guérit un paralysé.

Cher frère Janko, cela prendrait des pages et des pages pour témoigner des merveilles du Père Éternel pour chacun de nous. Ensemble remercions Dieu. Voulez-vous demander à Marie Reine de la Paix de remercier Dieu avec nous, pour tant d'amour? Si c'est possible de demander à Vicka de remercier Dieu et Marie pour nous, merci. Action de grâce toujours, en tout et partout.

Je demande au Père de poser Sa Main Puissante sur vous, pour vous bénir et vous garder dans les bras de Marie. Je prie toujours pour les voyants et voyantes pour qu'ils soient tous fidèles et confiants, que Dieu soit avec chacun pour les soutenir et les protéger. Merci à ces chers voyants pour leur foi, leur fidélité, pour leur exemple dans la prière et le jeûne. Dites-leur bien que je prie pour eux et que je les aime tous.

Il faut que je vous quitte à regret. Avant de terminer, je vous demande s'il vous plaît de me bénir, de bénir aussi ceux que je porte dans mon cœur et dans la prière, spécialement le Saint-Père Jean-Paul II.

Au revoir cher frère Janko.

Votre petite sœur et servante de Dieu au service des âmes,

Georgette Faniel (pauvre Mimi)

Montréal, le 19 juin 1988

Mon cher frère Janko,

À l'occasion de la fête des Pères, nous avons eu la joie d'être ensemble, le Père Guy, le Père Armand et la petite servante, dans le petit sanctuaire dédié au Père Éternel. Il y eut Messe, prières d'action de grâce. Vous n'étiez pas étranger à notre offrande et nos prières, puisque je vous porte toujours dans mon cœur. Durant le très Sainte Messe, nous avons beaucoup prié pour vous, à toutes vos intentions spirituelles et temporelles, sans oublier les voyants.

J'ai obtenu une très grande grâce, celle d'avoir le grand désir et le goût de souffrir et de mourir avec Jésus, lorsque Jésus blesse mon pauvre cœur, me demandant de rester avec Lui dans ce cœur blessé. Cette joie dans la souffrance ne peut s'exprimer que par l'amour, ne peut survivre que par un acte d'abandon total à la très Sainte Volonté du Père, en tout et partout. Chaque jour, je me place dans les mains de Marie, avec Jésus pour être offerte au Père.

Ce n'est pas toujours facile, sans une grâce spéciale de détachement. Oui, se détacher du monde, des choses de la terre, et de nous-mêmes, voilà ce que Dieu attend de chacun de nous. Être libre dans notre cœur, notre esprit, dans notre amour, pour pouvoir donner la première place à ce Dieu d'Amour qui nous aime d'un Amour infini.

Comment va votre santé? Bien, j'espère. Parfois je ressens dans mon cœur, dans mon âme, cette tristesse que vous avez; dans ce temps, je redouble de prières, demandant à Dieu le Père de passer Sa Main sur vous, pour vous bénir, bénir votre idéal sacerdotal, avec votre grand désir de servir davantage vos frères.

Mais Dieu dans Sa Sagesse infinie vous regarde avec bonté, avec Amour. L'Abandon total à Son Adorable Volonté est pour nous un réconfort. Mon cher frère Janko, je vous dépose dans les bras de Marie. Je Lui demande de vous garder toujours près de Son Cœur qui aime. Je vous demande s'il vous plaît votre bénédiction. Soyez assuré de ma prière pour vous et les voyants. J'espère toujours que le Saint-Père ira prier la Sainte Vierge avec vous tous.

La petite servante de Dieu,

Georgette F. / Mimi

Montréal, le 5 octobre 1988

Père Janko Bubalo,
Humble serviteur de Dieu le Père Éternel,

En effet ce titre est bien pour vous, Serviteur de Dieu et des âmes. Comme Marie, vous servez encore dans l'Église par vos souffrances physiques, morales et spirituelles.

Mon cher frère Janko, Dieu le Père Éternel vous aime puisqu'Il vous prouve Son Amour en vous plaçant avec Jésus sur la même croix par vos souffrances et épreuves, pour une plus grande purification, parce que la souffrance, unie à la Passion de Jésus et aux douleurs de la Vierge Marie, devient rédemptrice pour coopérer au salut des âmes, et pour l'Église, pour soutenir le Saint-Père Jean-Paul II, pour le renouvellement des âmes consacrées, la paix dans le monde, surtout pour la paix en nos âmes et esprits.

Durant bien des années, Dieu vous regardait comme un serviteur visible, aujourd'hui Il vous garde comme serviteur caché aux regards humains, vous mettant au service de l'Amour dans la souffrance, par une plus grande intimité.

Mon cher Janko, par cette acceptation amoureuse de la Volonté du Père Éternel sur vous, vous allez découvrir davantage l'Amour du Père Éternel, Sa Miséricorde, Lui qui vous aime, puisque vous avez dit *Oui* à votre ordination. Ce *Oui* plénier est ce *Oui* se répète chaque jour à l'autel, même dans la solitude de votre chambre. Parfois la solitude et la tristesse pénètrent en chacun de nous. En ce temps-là, il faut se dire ceci: «Je ne suis pas seul. Dieu est présent en moi, avec Son Amour, Sa Puissance.»

Que d'actions de grâce se perdent par le manque d'abandon, de confiance en Dieu, en ce qu'Il fait en chacun de nous. Mon cher frère Janko, ensemble prions et offrons-nous à Dieu, en Lui demandant de nous bénir et de nous soutenir. Que Marie Reine de la Paix demeure avec vous toujours dans les moments difficiles, qu'Elle vous garde dans Ses bras de Mère, près de Son Cœur qui vous aime tant, vous, Son prêtre, le serviteur de Dieu et de l'Église.

Je vous demande de me bénir afin que je reste toujours avec Jésus sur la croix. Que je puisse rester fidèle à la Sainte conformité, à la Volonté du Père sur Son humble servante. Soyez assuré de mes prières.

Votre petite sœur, servante de Dieu et des âmes au service de l'Église,

Mimi G. Faniel

P.S. Mon cher frère Janko, un petit secret. Avec la grâce de Dieu, le jour où je n'aurai rien à offrir à Dieu dans la souffrance, je serai incapable de regarder le crucifix, de regarder Jésus en croix, je me sentirai loin de Marie. Là où est la Croix, Marie est toujours présente avec Son Amour, Sa Paix, pour glorifier le Père Éternel.

Montréal, le 25 novembre 1988

Père Janko Bubalo,
Serviteur de Dieu et de l'Église,

En effet être serviteur de Dieu veut surtout dire serviteur de Marie, des âmes que Dieu place sur notre route, afin de marcher ensemble vers notre Père. Il n'y a qu'un seul chemin qui conduit au Père.

Mon Bien-Aimé Jésus: «Oui, le Chemin de la Croix, chemin étroit pour les petits, les humbles, pas pour les âmes gonflées d'orgueil, elles ne pourraient pas, il n'y aurait pas de place. Chemin douloureux pour les âmes vraiment généreuses au service de Dieu et du prochain. Ce chemin n'est pas fait pour les âmes qui ne sont généreuses qu'en paroles, en actes récités et non pratiqués.»

Oui, cher frère Janko, notre Chemin de Croix accompli chaque jour, à chaque instant par amour, par bonheur, Chemin de Croix fait par devoir d'état, remplit chaque jour avec amour et pleine conformité à la Sainte Volonté de Dieu:

Mon Bien-Aimé Jésus: «En union à Mon Chemin de la Croix, sauve des âmes. Que sert à l'âme de vouloir faire le Chemin de la Croix et de ne Me suivre que des yeux?... N'est-ce pas, Ma Bien-Aimée, que la Rédemption aurait été faite bien vite! Je n'aurais eu qu'à jeter les yeux sur la Passion, sur le monde. Non, Mon Père voulait plus!»

Dans une confidence de Jésus, pour m'aider à mieux comprendre, Il me dit ceci:

«Le plus méritoire, le plus beau Chemin de la Croix que l'on puisse offrir à Mon Père, c'est le Chemin de la Croix fait avec Moi chaque jour, à chaque heure, à chaque instant en union à Ma Passion.

«Ma Bien-Aimée, en acceptant les petites croix de chaque jour, avec amour et conformité à la Sainte Volonté de Mon Père, de cette manière le chemin de la croix a plus de valeur, il est plus méritoire et il est plus efficace pour sauver des âmes. On a une fausse idée du chemin de la croix. L'on croit qu'il n'est utile qu'aux âmes du Purgatoire. Dans ce cas, J'aurais pu attendre la fin du monde pour accomplir la Rédemption.»

Cher frère Janko, ensemble marchons avec Jésus portant notre croix avec amour et résignation à la Sainte Volonté de Notre Père.

Mon Bien-Aimé Jésus apprends-nous, s'il te plaît, à suivre Jésus crucifié sur le Chemin Royal de la Croix.

Cher frère Janko, je sais que Dieu vous demande beaucoup. Vous passez des épreuves qui sont sûrement pour une plus grande purification, pas seulement pour vous, mais pour un plus grand nombre d'âmes que Dieu place sur votre chemin.

Dieu ne regarde pas seulement nos faiblesses, nos péchés. Il regarde surtout notre amour, notre bonne volonté à Le suivre. Chaque jour, demandons à la Vierge Marie de nous conduire avec Jésus, au Père.

Cher frère Janko, tous les jours ma pensée dans la prière va vers le Ciel, pour vous... et je demande au Père Éternel de poser Sa main sur vous, pour vous bénir, en acceptant votre don total comme prêtre et victime avec Jésus, pour le salut du monde. Que Marie Reine de la Paix vous garde dans Ses bras de Mère, près de Son Cœur de Maman qui vous aime d'un Amour infini, avec le Cœur du Père, et l'Amour de Jésus.

Cher frère Janko, je vous remercie, je compte sur vos prières pour ceux que je porte dans mon cœur, dans ma prière. Que Marie Reine de la Paix demeure avec vous toujours. Je prie pour les voyants pour qu'ils restent fidèles à tout ce que Marie demande.

La petite servante de Dieu au service de l'Église,

Georgette Faniel

P.S. Je serai avec vous tous, le 8 décembre.

Montréal, 16 avril 1989

Père Janko Bubalo,
Cher Janko, fidèle serviteur de Dieu,

Dans l'arbre de la Paix, les fleurs sont pour vous. En effet, quel beau titre choisi par Dieu! Comme Marie est la servante de Dieu, vous aussi êtes le serviteur de Dieu, au service des âmes. Dieu le Père Éternel est consolé de voir Son enfant Janko Le servir et travailler avec Son divin Fils, pour Le faire connaître et Le glorifier dans Son Amour miséricordieux et dans toute Sa création. Avec quel Amour, Dieu le Père Éternel vous regarde à chaque instant de votre vie. Il désire vous donner tout Son Amour, puisqu'Il vous donne Jésus dans l'hostie, chaque jour.

Comment pouvons-nous répondre à cet Amour? Nous sommes si pauvres, si limités dans notre vie de pécheur, de pécheresse... par notre misère humaine, remplie de péchés, d'imperfections.

La réponse à cet Amour est que, nous reconnaissant indignes, suppliant Dieu d'avoir pitié de nous, nous Lui demandions de nous donner l'amour et l'humilité de Marie pour Le servir avec fidélité et conformité à l'Adorable Volonté du Père sur chacun de nous. Par cet acte d'humilité, d'abandon et d'amour, nous attirons sur nous, cet Amour, ce regard Miséricordieux du Père, afin de retrouver en nous cette Paix du cœur, de l'âme, de l'esprit.

Qu'il est doux de se reposer sur le cœur de Dieu, comme saint Jean sur le cœur de Jésus, et comme Jésus sur le cœur de Marie! Là seulement nous pouvons comprendre et répondre à cet Amour du Père... oui, se faire mendiant de l'Amour du Père sur chacun de nous.

Un jour, mon Bien-Aimé me disait ceci, et je crois, mon cher Janko que je me dois de partager avec vous cet entretien. Voilà:

Mon Bien-Aimé Jésus: «Ma Bien-Aimée, à chaque instant de ta vie, Je t'apporte une preuve de Mon Amour. Ton pauvre petit cœur... que Je tiens continuellement dans Mes Mains, que Je place à certains moments près du Mien et qu'à l'unisson, nous rendons gloire à Mon Père... Comprends-tu l'importance de Mon Amour?

«Sais-tu bien ce que cela signifie d'être aimée de Moi, ton Dieu, ton Époux?... Oui, Ma chère petite épouse Bien-Aimée, Ma toute petite que J'aime tant, à rendre presque jaloux les anges... Eux ont l'avantage de Me voir, de M'adorer; toi par l'état de grâce, par la Sainte Eucharistie, tu Me possèdes tout entier, tu Me donnes asile dans ta petite demeure où Je suis heureux d'être chez Moi en toi. Mon Amour ne te quitte pas un seul instant, même quand Je Me cache pour éprouver ta foi, ta confiance, ton amour, ta fidélité.

«Si tu regardais bien sans te laisser préoccuper par ton ennemi, tu Me trouverais peut-être caché derrière la porte de ta petite demeure. Comme l'autre jour, tu Me cherchais au dehors, tu as jeté un coup d'œil rapide dans ta petite demeure, tu étais si troublée, tu n'as pas pensé à regarder partout. J'étais caché derrière cette croix, cette tentation. Il a fallu que ton directeur t'indique où J'étais. Je n'étais pas loin.»

Après tant d'années, Dieu me purifie de plus en plus, par la maladie, les épreuves, les croix. Mais au plus profond de mon âme, cette agonie qui chaque jour me dévore, me ronge comme un cancer... parfois je n'ai même plus la force de marcher, alors je me traîne avec ma croix suppliant Jésus de jeter un seul regard de pitié vers Sa petite servante.

Avec la grâce de Dieu, et le secours de Marie, l'aide de l'Esprit Saint, je me dois de rester fidèle à mon Vœu d'accepter tout par amour, pour une plus grande purification. Je vous demande de prier pour moi, s'il vous plaît.

Cher Père Janko, chaque jour je prie pour vous, je vous offre au Père, avec Jésus, comme prêtre et victime à chaque Messe. Il y a des moments où je ressens votre maladie, mais surtout votre angoisse, vos craintes. Cette purification n'est pas seulement pour vous, mais pour d'autres, afin de coopérer avec Jésus pour sauver le plus d'âmes possible, et pour soutenir le Saint-Père Jean-Paul II, sans oublier le renouvellement de l'Église.

Par votre exemple et votre fidélité, vous aidez les voyants à continuer d'accepter cette grande mission de faire connaître les beaux messages de Marie Reine de la Paix.

Je demande au Père Éternel de poser Sa Main Puissante sur vous, pour vous bénir avec Ses grâces de choix, et aussi pour vous guérir, vous donner la force et le courage de continuer d'être prêtre et victime avec Jésus, sur l'autel du sacrifice, c'est-à-dire sur la même croix.

Laissez-vous conduire par l'Amour, dans les bras de Marie Reine de la Paix. Marie vous aime d'une manière spéciale. Elle vous protégera toujours en tout, et partout. Courage, confiance, amour à la Sainte Volonté du Père. Gloire et Louange pour toujours.

Cher frère Janko, je vous donne rendez-vous à la Sainte Messe, mais surtout dans les cœurs de Dieu Père, de Jésus et Celui de Marie. Que la Cour céleste soit avec vous, que votre ange gardien et votre ange du sacerdoce veillent, vous protègent de tous vos ennemis visibles et invisibles.

Je me recommande à vos prières, pour que je reste toujours la petite servante au service de Dieu et des âmes qu'Il place sur mon chemin. Parfois la croix est lourde à porter; à ce moment-là, je lance ce cri vers Marie, Lui demandant de me soutenir comme Elle a soutenu Jésus durant le Chemin de la Croix, chemin qui nous conduit au Ciel.

Cher frère Janko, un petit secret. Le désir du Ciel est si grand que ça devient pour moi une agonie que de vivre encore sur la terre. Cependant que tout s'accomplisse selon la Sainte Volonté de Dieu, sur Son humble servante.

Il faut que je vous quitte, vous portant toujours dans ma prière et dans mon cœur de petite sœur. Avec le Cœur de Jésus, de Marie, recevez mon affection et l'assurance de ma prière.

La petite servante de Dieu au service de l'Église et des âmes, sans oublier les voyants que j'aime,

Georgette Faniel (Mimi)

P.S. Je vous recommande dans vos prières ma petite sœur Marcelle et son époux, ceux que je porte dans mon cœur, le Père Guy, le Père Armand, le Docteur Fayez, les malades, etc.

Humac, 28 juin 1989

Ma chère sœur Georgette!

Depuis longtemps déjà, chacune de tes lettres me réjouit par ta sagesse et ta bonté. Ainsi ta lettre du 16 avril 1989 m'a apporté beaucoup de joie.

Seulement, cette fois-ci encore, de toute évidence le titre de ta lettre est incomplet, car les paroles «fidèle serviteur de Dieu» devraient être complétées par «pauvre et misérable.» Ces paroles-ci devraient toujours s'ajouter à mon nom, car elles s'accordent réellement à lui. Je regrette de voir autour de moi des gens qui en pensent autrement.

Chère Mimi! Je te l'ai déjà dit, il me semble que depuis ma jeunesse je compte parmi les petits et les pauvres. Dans ma pauvreté, je ne pouvais donner, ni au Père ni à la Mère, rien de plus noble ni de plus valorisant que ma pauvreté. Heureusement que le Père Éternel et la Mère me connaissent bien!

Mais voilà, la Sainte Vierge m'a pourtant dit que: «La souffrance était quelque chose de vraiment merveilleux, quelque chose de parfait, tout à fait pour le frère Janko.» Mais, je n'ai qu'à Lui offrir cette souffrance. Comme Elle le dit: «avec amour et abandon total.» Et moi, je ne sais pas le faire!!

Mon système nerveux est tellement épuisé que toute ma force se trouve uniquement dans mes faiblesses. C'est pourquoi j'ai l'impression que notre Mère (la mienne et la tienne) n'est pas contente de moi. Aide-moi pour pouvoir Lui faire plaisir, au moins un peu.

Chère sœur! Dans tes souffrances, tu es plus forte et plus abandonnée au Père Éternel. Prie-Le pour qu'Il me donne de pouvoir Lui offrir ma misère avec plus de patience. En vérité, je cherche à me justifier, un peu, par le fait que je n'ai jamais, comme toi et Vicka, entendu ni vu aucun de mes protecteurs.

C'est pourquoi, chère Mimi, je souhaiterais que tu demandes au Père Éternel de me fortifier dans Son Amour, même si je ne le mérite pas, pour pouvoir, après mille jours et nuits d'attente solitaire dans ma chambrette à Humac, aller quelques fois à Medjugorje.

Puisse-t-Il, en accord avec Mère Marie (la mienne et la tienne) donner un autre aspect à ma souffrance. Il ne pourra pas ne pas entendre tes paroles.

Chère Georgette, je sais que tout ceci ne sera pas et ne devrait pas être un secret pour tes «fils» Armand et Guy. Ils pourraient m'en informer, si c'est la Volonté de Dieu de Se manifester.

Depuis 4 ans déjà, une faiblesse pénible et incompréhensible envahit tout mon être, mon âme et mon corps! Je ne le raconte pas aux autres, parce que je me bats pour ne pas me retrouver au lit, mais je n'en suis pas loin! On dit même, que pour mes 77 ans, j'ai l'air bien. Ainsi vous dira peut-être notre amie Daria.

Autrement dit, je ne fais rien. Tout ce que je fais se résume en quelques supplications quotidiennes. Je supplie mon Dieu (et le tien), mon Frère Jésus (et le tien) de venir habiter le petit logement de mon cœur. Je Lui dis que la place n'est pas grande, mais que Lui qui est Dieu saura s'y débrouiller. Parfois, il me semble qu'Il le fait dans Son Amour et cela m'apaise.

Je te fais savoir aussi qu'oralement je prie très peu. Malgré tout, je ne t'oublie pas, ni toi ni tes «fils.» À tous les jours, je me souviens de chacun de vous. Je dis simplement: «Jésus, Marie et Joseph, je mets, dans Vos mains, le cœur et l'âme de ma sainte et noble sœur Georgette. Aidez-la pour qu'elle s'abandonne à Vous, le plus totalement possible!»

Je crois que c'est la meilleure chose que je puisse te souhaiter, même si tu le réussis aussi sans moi. Ainsi, souviens-toi de moi! J'en ai besoin, car mes peines deviennent de plus en plus incommodes et moi, de plus en plus faible.

Supplie, le Père Éternel, pour qu'Il vienne me chercher, si c'est Sa Sainte Volonté. Je t'attendrai là-haut, près de Lui. Le Père ne m'en voudra pas!

Plein d'espérance dans ton aide, beaucoup de Paix et d'Amour dans l'étreinte du Père, je te le souhaite de tout mon cœur,

Ton pauvre frère Janko

Montréal, 5 août 1989

Mon cher frère Janko,

Le tout petit du Père Éternel,

En effet le titre vous va à merveille. C'est comme cela que le Père vous regarde avec Amour et Miséricorde. Mon cher frère Janko, je regrette, mais je ne dois pas corriger l'Esprit Saint qui me dicte le titre des lettres. Comment pourrais-je ajouter «pauvre et misérable» alors que vous êtes l'enfant de Dieu, le fils de Marie, le frère de Jésus, par adoption, l'instrument de l'Esprit Saint? Avec tout ce que Dieu dépose en vous de bénédictions...

Malgré les apparences, votre chère âme est inondée de grâces de choix, vous n'êtes pas pauvre, bien au contraire, vous êtes riche de l'Amour de Dieu sur vous, vous êtes riche de Sa Miséricorde, vous êtes riche d'avoir une Reine pour Maman (Marie Reine de la Paix). Vous êtes riche d'avoir été choisi par Dieu, pour devenir Son prêtre et victime, au même titre que Son Fils Jésus.

Dans notre humilité, il faut reconnaître ce que nous sommes, face à la Rédemption, et ce que Dieu fait de beau et de grand à chaque instant de notre vie.

La Vierge Marie, dans Son humilité, nous fait comprendre davantage, en nous disant: «Le Seigneur fit pour Moi des merveilles, Saint est Son Nom.»

J'aime tellement méditer le *Magnificat*, et pour le faire je demande à Maman Marie de me prêter Son Cœur rempli d'amour, de reconnaissance à Dieu le Père Éternel. Cher frère Janko, vous n'êtes pas pauvre, vous êtes un mendiant d'amour, comme Jésus. Être misérable, c'est n'avoir plus rien, plus de foi, d'espérance, d'amour, rien physiquement et moralement. Nous pouvons nous sentir pécheur, pécheresse devant Dieu; malgré tout, le seul fait de nous reconnaître enfant de Dieu, nous place définitivement dans le plan du Père Éternel, c'est-à-dire dans Son Amour.

Cher frère Janko, il ne faut pas vous attrister de ce que les gens pensent autour de vous. Le seul moyen pour garder votre paix intérieure, c'est de remercier toujours Dieu, que ce soit pour des louanges ou des remarques, des reproches, peu importe. En remerciant Dieu, vous êtes en action de grâces. Le merci a toujours sa place.

Cher frère Janko, c'est une bien grande grâce que le Père Éternel vous a donnée de vous accepter comme un tout petit. C'est plus facile pour Maman Marie de vous tenir dans Ses bras de Mère qui vous aime. Aux yeux du Père, vous êtes petit, et comme un enfant nous donne la joie, la paix, l'amour, dans la crèche, Jésus Enfant donnait à la Sainte Vierge et à saint Joseph, la Joie, l'Amour, la Paix. Même dans Son sommeil, Il était radieux. Il était si beau, que la Cour Céleste Se prosternait pour L'adorer, Le contempler, et par la suite ceux qui regardaient Jésus ressentaient au plus profond de leur être la joie, l'amour, la sérénité, la paix.

Mon cher frère Janko, en effet la souffrance et la croix sont des cadeaux précieux que Dieu réserve à Ses amis. Si nous pouvions comprendre toute la valeur de la souffrance, l'étendue de grâces attachées à la Croix, nous tomberions à genoux, les bras tendus vers le Ciel, suppliant Dieu de nous garder dans cet état de souffrance méritoire, en Lui disant: «Encore mon Dieu, encore mon Dieu!»

Avec une souffrance acceptée par amour, unie à la Passion de Jésus et aux douleurs de Marie, nous pouvons premièrement: expier nos péchés et ceux que nous voulons aider. Deuxièmement: coopérer avec Jésus au salut du monde. Et troisièmement: mériter. Quelles richesses à découvrir en chacun de nous! Premièrement, expier. Deuxièmement, coopérer avec Dieu et troisièmement, mériter!

Je rends grâce à Dieu de vous faire comprendre ce grand mystère, l'Amour dans la souffrance, par le don total de votre vie au service de Dieu et pour l'Église et les âmes.

Mon cher frère Janko, si vous pouviez voir avec quel Amour Marie Se penche continuellement sur vous, vous regarde avec Amour et, dans vos moments de faiblesse physique et morale, Elle vous garde dans Ses bras de Mère, près de Son Cœur, vous disant: «N'aie pas peur, mon petit, ne crains pas, Je suis là toujours, pour te protéger, maintenant et à l'heure de ta mort.» Vous n'êtes jamais seul. Marie est présente, Elle est là pour partager votre solitude, pour essuyer vos larmes, pour vous aider dans vos difficultés. C'est Elle qui présente à Dieu vos demandes. Elle intercède sans cesse pour vous.

Mon cher frère Janko, pour plaire à Marie, place-toi dans Ses bras et là, près de Son cœur de Mère, dis-Lui tout bas que tu L'aimes avec le cœur du Père et l'Amour de Jésus, en acceptant tout de la Sainte Volonté du Père. *Oui* plénier comme celui de Marie. Et c'est dans ce moment d'intimité que vous ressentirez en votre chère âme, cette joie, cette paix, du cœur de l'esprit. Oui, cette paix que l'on ne trouve qu'en Dieu, par Marie. Je demande à Maman Marie de venir parler un peu avec Son petit enfant chéri Janko, et dans les heures d'épreuves de venir vous bercer et chanter *Mirtha*.

Mon cher frère Janko, ne te désole pas, cet état d'âme que Dieu permet et dans lequel il nous place parfois est une grande preuve de Son Amour. C'est pour une plus grande purification, pour vous et pour tant d'autres qui refusent cette grâce de purification. Parce qu'ils ne comprennent pas, ils se révoltent; devant la souffrance de la Croix, ils ont peur.

Cher frère Janko, parfois vous avez de la peine de ne pas voir vos protecteurs. Mais soyez consolé, car eux voient tout. Ils vous regardent avec Amour...

Frère Janko, je partage votre peine et votre solitude. Moi aussi j'aimerais aller à l'église près de chez-moi, voir aussi ma famille, faire des voyages, aller entendre de la belle musique, etc. J'offre à Dieu ces tentations en Le remerciant et je pense à Jésus lorsqu'Il était fixé à la Croix. Il ne S'est pas déplacé. Il est resté là où le Père Éternel Le voulait.

Puis je regarde mon crucifix, je le baise et reprend courage. Cependant mon cher frère Janko, je vais demander au Père Éternel d'envoyer la Cour Céleste vous chercher pour aller à Medjugorje.

Voilà ma requête:

«Père très Saint, je T'en supplie, pense à la Joie et au bonheur de Marie de revoir Son enfant, Son petit Janko.» Et là je Le remercie. Attendons avec foi et patience l'heure de Dieu, que Sa Sainte Volonté se fasse.

Mon cher frère Janko, comme moi, Dieu le Père Éternel cache vos souffrances. Parfois lorsque je reçois des gens je suis si épuisée, je pourrais pleurer comme un bébé, mais voilà que tout se passe et que rien ne paraît.

Malgré les souffrances physiques et morales, avec Sa grâce, je parviens à sourire et être à l'écoute de ceux que Dieu place sur mon chemin (et cela dure des heures).

Cher frère Janko, ne dites pas que vous ne faites rien. Bien au contraire, cette impression d'inactivité est celle que Dieu vous demande, par l'acceptation de Son adorable Volonté sur votre chère âme et sur vous.

Il ne vous demande pas de longues prières! Mais Il est heureux et consolé par vos suppliques, vos élans d'amour, par votre cœur si pur, votre cœur d'enfant. Est-ce que le Père demande davantage à un petit? Non... Il regarde le fond de son petit cœur, de son amour, de sa tendresse, car le Père sait que la porte de votre petite demeure intérieure est toujours ouverte et que c'est pour cette raison qu'Il y reste en permanence. Père, Fils, Esprit Saint... vous n'êtes jamais seul. Je vous envoie souvent la présence de la Cour Céleste.

Cher frère Janko, je vous remercie de vos prières et intercessions. Je prie pour vous, et à toutes vos intentions spirituelles et temporelles; à la Sainte Messe, je vous offre au Père Éternel avec Jésus, comme prêtre et victime en holocauste d'amour, et c'est par Marie que l'offrande se fait.

Chaque jour je vais à Medjugorje, parfois la nuit. Je prie pour les franciscains, les voyants et les voyantes. Spécialement pour Vicka et Maria pour qu'elles puissent grandir dans l'amour selon la Volonté du Père et les demandes de Marie Reine de la Paix.

Mon cher frère Janko, je m'appuie sur votre prière du cœur, elle est puissante sur le Cœur du Père, pour m'aider dans ma mission et à porter ma croix. Par une grâce spéciale, nous nous aidons. C'est comme cela dans le Corps mystique. Il faut que tous les membres soient utiles, s'entraident. Parfois le plus petit a besoin du plus fort, puis un jour vient où le plus fort a besoin du plus petit.

Mon cher Janko, un jour Jésus me dit ceci et je sens le besoin de le partager avec vous:

Mon Bien-Aimé Jésus: «Ma Bien-Aimée, un jour J'ai dû Me faire petit pour vaincre le monde, pour sauver l'humanité, non par Ma force, Ma puissance, mais par ce qu'il y a de plus simple, l'amour. Pense à cela, Moi le Tout-Puissant.

«Que dirais-tu si un jour ton petit cœur refusait de battre en disant: «Mon corps est plus grand, plus fort, qu'il s'arrange seul?» Que deviendrait ton corps sans l'aide de ton petit cœur?

«Tout ce qui doit compter dans ta vie est en premier lieu l'amour et la conformité présente à la Sainte Volonté de Dieu, une adaptation aux Plans Divins sur toi, une générosité sans borne au service de Dieu et des âmes, un amour plus grand de la Croix, des souffrances, surtout dans les grandes tentations, pour plaire à Dieu et obtenir le salut des âmes.

«Cela Me peine de te faire souffrir. Mais que veux-tu, il faut pour aller vers Mon Père que tu prennes le même chemin que Moi! Crois en Moi, en Ma Parole qui est la vérité. Mets ta confiance en Moi. Tu auras encore bien d'autres tentations, plus pénibles et plus violentes. Ne crains pas, Je serai toujours avec toi. Personne ne peut Me déloger de Ma petite demeure qui est ton âme. Je suis chez Moi en toi. Comme une bête féroce, le malin Satan est jaloux, il cherche par tous les moyens à pénétrer dans

Notre petite demeure, pour te dévorer, mais ne crains pas: Je suis là, bien présent. Par son sacerdoce, ton directeur te protège, il est fort.»

J'espère que ces lignes vous aideront à continuer votre beau Chemin de Croix tracé par le Père et qui est celui que Jésus a marché avec Sa croix, pour nous sauver.

Mon cher frère Janko, ensemble et avec les voyants et le Père Guy et le Père Armand, continuons notre Chemin de Croix pour aller glorifier le Père Éternel avec Marie, et les âmes que Dieu place sur notre route vers le ciel.

Je vous remercie pour les prières et sacrifices que vous adressez au Père, pour moi, j'en ai grandement besoin. La Croix devient de plus en plus lourde à porter, le chemin me semble plus long, sans fin; et pourtant un jour, il y aura une fin, et un jour un commencement dans le ciel, pour l'éternité.

Que j'ai hâte à cette union, à cette rencontre avec ce Dieu d'Amour qui nous a tout donné. En attendant, je crois et j'attends tout de mon Bien-Aimé Jésus.

Mon cher frère Janko, je vous porte toujours dans ma prière et dans mon cœur. Je demande au Père de vous faire grandir dans Son Amour, que la foi dans votre sacerdoce soit votre force, votre consolation, en attendant votre récompense au ciel, avec les âmes que Dieu a placées sur votre chemin.

Avant de terminer, je vous demande de continuer à m'offrir avec Jésus au Père, par les mains de Marie. Mon cher frère Janko, je vous souhaite la paix du cœur, de l'âme, de l'esprit, et je demande à Maman Marie de vous guérir, si c'est la Sainte Volonté de Dieu.

Je vous recommande ceux que je porte dans ma prière et dans mon cœur, spécialement mes fils spirituels, qu'ils deviennent de saints prêtres.

Il faut que je vous quitte, mais je vous porte dans ma prière.

La petite servante de Dieu au service de l'Église et des âmes,

Georgette Faniel (Mimi)

Humac, 14 août 1989

Chère sœur Georgette,

Si tu trouves utile et agréable, demande au Père Éternel: Père Éternel, est-ce que Mère Marie comprend ses enfants, les hommes, si eux lui parlent sans mot, seulement par la pensée?

Chère Georgette,

Si tu reçois une réponse, inscris tout de suite la réponse en bas de cette question. Écris la date et mets la signature.

Au Père Éternel et à toi, remerciement,

Le pauvre frère Janko

Chère Georgette,

Une autre fois demande ceci: Père Éternel est-ce que c'est Ton saint désir que le livre intitulé *Mille rencontres avec la Vierge à Medjugorje* soit continué avec de nouvelles éditions pour deux à trois mille rencontres de Marie à Medjugorje?

Si cela est Sa Volonté, qui devrait faire cela?

Chère Georgette, certainement que c'est tout à fait clair. Que les Pères écrivent la réponse et signent.

À toi de tout mon cœur,

Ton pauvre frère Janko

Humac, le 16 août 1989

Honorable et ma chère sœur Georgette,

Le jour du 10 août à 22h (heure locale), j'ai reçu ta grande lettre inspirée. Je crois qu'elle est le don de la Providence, car en elle j'ai encore mieux compris combien je suis petit et pauvre.

Je vois maintenant, cependant, que mon expression «misérable » dans ma lettre n'est vraiment pas bien placée, ni utilisée avec sagesse. Comment se fait-il que moi, précisément, je l'aie trouvée? J'ai voulu seulement dire et répéter par-là que je suis en vérité beaucoup plus petit et plus pauvre homme que ce que toi, et bien d'autres autour de moi, en pensez. Je ne voulais dire que pauvre mendiant, mais voilà, cela a pris une autre tournure.

Néanmoins, je continue de me considérer le même. Mais non, ne me comprends pas mal! Je ne regrette pas beaucoup que cela soit ainsi, et pour cela, je ne crains pas l'amitié avec Dieu. Surtout pas avec Sa Mère et notre Mère Marie. Bien au contraire!

Parfois, cette connaissance, me donne une force particulière. Mais les épreuves ne manquent pas de temps à autre. Comment pourrait-il en être autrement?

Chère sœur Georgette, j'aurais de l'inspiration à en dire beaucoup, beaucoup sur cela, mais comment, si je ne sais pas ta langue et personne non plus pour me le traduire. Je n'ai plus de courage et je ne sais plus comment profiter de la bonté de notre chère Daria.

Chère Mimi! Tu as dit il y a longtemps, dans une de tes lettres, que parfois, à toi aussi, dans des moments difficiles, il te venait à l'esprit des questions semblables: «Pour qui? Pourquoi? Jusqu'à quand?» S'il en est ainsi (ce qui n'est pas étonnant) pour toi qui communiques si souvent avec le Père Éternel, comment n'en serait-il pas avec moi, ton petit et pauvre mendiant Janko?

Ma chère sœur, je te l'ai dit que moi je ne prie pas beaucoup oralement, mais je parle très souvent avec Dieu et notre Mère Marie.

Je sais que Dieu entend le murmure de mon âme. Mais parfois je me pose la question à savoir si ma Mère m'entend aussi, et je n'ai personne pour m'y répondre avec autorité. Ici il nous faut nous rappeler que la Vierge aussi est une Créature. C'est vrai, plus parfaite et plus élevée que toutes les créatures mais, Elle non plus, n'est pas omnisciente ni omnipuissante. Je m'en suis rendu compte plusieurs fois en conversant avec Ses voyants. J'ai déjà pensé, si tu pouvais le demander une fois au Père Éternel, mais...

Chère Georgette, j'avais l'intention de te demander autre chose aussi, mais je verrai si j'en aurai le courage. C'est-à-dire, étant donné que présentement, Vicka ne peut pas poser des questions à la Vierge, peut-être qu'il serait bon que tu demandes au Père Éternel, si c'est Sa Sainte Volonté (puisque personne d'autre ne le veut) que je continue d'écrire *Mille rencontres avec la Vierge à Medjugorje* et les événements, car personne ne les connaît vraiment et de nombreux amis de Medjugorje s'y intéressent.

Vicka m'a dit qu'il y en aurait long à écrire là-dessus. Dans ce sens, j'avais déjà commencé à travailler, ma faiblesse m'en a empêché jusqu'à maintenant. Probablement que la Vierge s'en occupe, puis...

Prie, prie, chère sœur, cordialement le Père Éternel et la Mère Marie pour que je puisse (quoique faible et petit) accepter, avec plus de courage et plus de joie, tout de Leurs Mains, afin de pouvoir m'abandonner à Eux complètement, avec amour et le DON TOTAL comme la Vierge le désire.

Puisse la bénédiction de Dieu le Père et l'Amour de l'Esprit Saint descendre abondamment sur toi, et y rester pour toujours. Amen.

Je te le souhaite de tout cœur,

Ton petit et pauvre frère, Janko.

29 août 1989

(Cette lettre est la réponse du Père Armand au Père Janko sur les questions de celui-ci dans sa lettre du 14 août 1989)

Cher Père Janko Bubalo,

Nous avons reçu votre lettre par Madame Daria Klanac et elle nous a lu votre si belle lettre. Nous sommes toujours heureux de vous lire...

Georgette Faniel est tombée accidentellement dans son logement et elle a une fracture du sternum et des ligaments de la poitrine. Elle sera à l'hôpital pour un ou deux mois. Elle souffre beaucoup et est totalement immobile pour l'instant. Les calmants ne la soulagent que très peu.

Je vous écris cette lettre de l'hôpital Notre-Dame où je travaille et où Georgette est hospitalisée.

Je réponds aux deux questions que vous posez... et que vous avez écrites en croate sur deux petites feuilles différentes.

Première question que vous posez: «Est-ce que la Très Sainte Vierge Marie nous entend, même si nous ne verbalisons pas nos prières? Elle Marie qui est une créature n'a pas toute la connaissance du Père Éternel. Peut-elle comprendre notre prière mentale et ce qui se passe en nous?»

Voici la réponse: Quand Marie portait Jésus dans Son corps, avant Sa naissance... Elle parlait avec Lui mentalement... Comme ce dialogue sans mot de la part de Son Fils Jésus devait être profond et d'une telle tendresse! Votre Mère du Ciel entend la prière mentale de Son pauvre enfant Janko et Elle le comprend parfaitement.

Deuxième question que vous posez: «Est-ce que je dois continuer à écrire le volume sur Marie? Voici la réponse: Le Père Éternel a dit clairement et sans l'ombre d'un doute: «OUI! Il doit continuer à écrire ces volumes sur Marie avec l'aide de Vicka.»

La réponse fut donnée à Georgette au moment où Daria lui faisait la lecture de votre question.

Cher Père Bubalo, si actuellement Georgette Faniel est immobilisée totalement, c'est pour que vous deveniez actif, afin de pouvoir écrire ces volumes qui feront un très grand bien à une multitude de personnes.

Nous prions souvent et toujours pour vous. Vous cheminez sur le Chemin de la Croix comme votre petite âme sœur, Georgette. Vos immolations à tous les deux sont pour aider à la reconnaissance des apparitions de la Vierge Marie à Medjugorje.

Mimi avait commencé à vous écrire au moment de son accident... Elle avait écrit que vos deux âmes devaient connaître de plus en plus le chemin du Calvaire.

Vous passez par de terribles purifications, et il faut vous abandonner, ne vous demandant pas ce que pensent vos confrères ou toute autre personne... mais ayant le seul souci de faire la Volonté du Père Éternel.

Dieu vous a choisi pour une mission... et vous n'avez pas à demander à Dieu le pourquoi, mais à accepter le choix gratuit de Dieu. Lui seul dans Sa Sagesse infinie le sait et garde jalousement les raisons de ce choix pour Lui.

Le Père Éternel vous aime... et Marie, la Mère de Jésus, et votre Mère vous aime d'une façon indescriptible. Je ne pourrai jamais vous dire tout ce que Georgette Faniel voudrait vous dire... sa voix est à peine perceptible présentement... mais je suis certain que peu à peu Dieu lui redonnera un peu de santé afin de continuer sa mission. Cette âme choisie de Dieu, c'est par vous qu'elle a été livrée au monde... et c'était la Volonté de Dieu. Pourquoi vous a-t-Il choisi? Je ne sais pas... mais c'était Son choix, le choix de Dieu.

Je termine cette lettre en vous redisant toute mon affection et mon amitié, et sur cette terre bénie de Medjugorje, vous aurez la force de continuer à écrire. Saluez les voyants de notre part, Maria et Vicka spécialement, et demandez-leur de prier pour nous, afin que nous soyons fidèles à la mission que Dieu nous a confiée.

Le mystérieux chemin que Dieu a choisi pour nous conduire tous les quatre, afin que nous soyons «prêtres et victimes» comme Son Fils Jésus, nous échappera toujours.

Je me sens bien petit pour conduire dans la vie spirituelle une âme comme celle de Georgette Faniel... mais je demande l'aide de vos prières.

Ah! Quel mystère que cette immolation continuelle dans laquelle elle est placée!... Elle me disait: «Jésus me rapproche toujours de cette configuration totale avec Lui.»

Cet accident qui lui occasionne une souffrance indescriptible la rapproche toujours davantage de son Bien-Aimé.

Je termine donc cette lettre en vous redisant notre gratitude et notre joie de recevoir de vos nouvelles.

Priez la Reine de la Paix pour nous.

Père Armand Girard, m.s.a.

Humac 14 septembre 1989.

Ma chère sœur Mimi!

En te portant tous les jours dans mes faiblesses et dans mes prières, je suis convaincu que tu es sûrement dans les mains du Père Éternel comme l'oiseau ravi de sa sécurité sur son piédestal entre le ciel et la terre.

En se recommandant à tes souffrances, tu rassures le pauvre mendiant de l'Amour de Dieu.

Ton petit frère,

Frère Janko Bubalo

Montréal, 13 mars 1990

Père Janko Bubalo,

Serviteur de Marie, au service de Dieu.

Mon cher frère Janko,

Enfin je suis encore de ce monde. J'aurais dû vous écrire bien avant ce jour, mais l'état de faiblesse où je suis depuis six mois à la suite de cette chute me demande beaucoup d'effort, d'énergie, ce que je n'ai pas.

De plus, je passe la deuxième chute spirituelle où mon âme semble se détacher de mon corps. Tout est difficile pour moi, un manque d'adaptation dans le Plan Divin. Je sens au plus profond de mon âme que Dieu attend davantage. Plus je désire répondre à Son Amour Miséricordieux, plus je découvre ma misère, ma pauvreté. Je demande sans cesse d'assouplir, par Sa grâce, ma pauvre volonté, afin qu'elle soit souple au plus petit souffle de l'Esprit Saint, que mon âme soit docile aux inspirations de la Grâce Divine, qu'elle soit conforme à la Sainte Volonté de Dieu.

Dans les moments difficiles, je cours vers Marie, je me réfugie dans Ses bras de Mère, je me repose un peu pour refaire mes forces, pour continuer à lutter, en disant à Dieu: MERCI!

L'autre nuit, Jésus me dit ceci: Mon Bien-Aimé Jésus: «Ma Bien-Aimée, que ta vie s'écoule, et qu'elle finisse par un éternel Merci.»

Mon cher frère Janko, Dieu a tellement besoin de notre «Merci». Ensemble soyons de plus en plus unis, dans la prière et la souffrance. Offrons au Père Éternel notre vie pour coopérer avec notre Bien-Aimé Jésus au salut des âmes, le nombre est incalculable.

Ces âmes volent aussi rapidement que des papillons vers le péché, vers la mort éternelle. Durant ce temps du Carême, préparons notre âme à s'élever de plus en plus dans cet abandon à la Sainte Volonté de Dieu en nous. Demandons à notre douce Maman du Ciel de nous aider à boire le calice avec Jésus, pour nous conduire à la Croix.

Mon cher frère Janko, je prie pour vous chaque jour et je vous porte en mon pauvre cœur souffrant. Je demande à Dieu de porter avec vous vos peines, vos souffrances, votre Croix. J'espère que votre santé s'améliore. Je vous souhaite beaucoup de bonheur en Dieu, de Paix en tout, de confiance en cet Amour du Père Éternel pour Son petit serviteur Janko.

Je prie également pour les voyants pour que Dieu les aide et leur donne la force et le courage de toujours répondre *Oui* aux demandes de Marie pour sauver le monde.

Je vous recommande ceux que je porte dans ma prière et mon cœur. Je dois vous quitter, mais je vous garde dans mon cœur.

> La pauvre petite servante de Dieu,
>
> au service des âmes et de l'Église,

Georgette Faniel, MIMI

Très cher Père Bubalo,

Je vous envoie la lettre de Mimi... Elle souffre beaucoup et j'essaie, avec mes pauvres moyens, de la soulager et de lui apporter un peu de réconfort. Elle est tout <u>simplement extraordinaire</u> dans le don de sa vie.

Père Armand Girard m.s.a

Humac, le 25 mars 1990, Annonciation

Chère sœur Georgette!

Hier, 24 mars, j'ai reçu ta lettre, et aussi celle de tes fils, mes frères Girard... Quelle joie!!

Même si dans les lettres, on parle plus des problèmes que des joies, elles sont pour moi toujours un encouragement et une inspiration. Maintenant, il m'est plus facile de comprendre que pendant ces derniers quatre à cinq mois, je vous ai portés, toi, ainsi que tes fils et vos problèmes, plus ardemment que jamais dans mes souffrances et dans mes prières.

Alors, vous dites que vous avez fait la même chose pour moi. Vraiment Dieu est merveilleux dans Ses œuvres! Aurais-je pu supporter tout ce que je supporte, sans vous?

Sœur Georgette, tu dis que tu espères que ma santé se soit quelque peu améliorée, peut-être... je suis déjà tellement détruit que je n'attends pas une sérieuse amélioration.

Mais moi, vraiment, je n'ai rien qui ne me fasse pas mal. Cependant, elles ne sont pas si aiguës que je ne puisse attendre une libération finale.

Peut-être que chez moi, le problème le plus grand est celui de la colonne vertébrale. Les conséquences de ce problème ont sérieusement détruit mon système circulatoire, ce qui m'a apporté un désordre dans chaque partie de mon corps. De là est née une douleur absolue de mon esprit et de mon corps. Comme ça, plus de 15 mois se sont écoulés sans que je ne sorte de la maison.

Maintenant, avec joie, amour et un abandon total, je m'offre à mon Seigneur. Il est difficile, pour moi qui suis faiblesse, de réaliser cette chose. Pour cela, à plusieurs reprises, j'ai uni mon abandon à ton abandon au Père Éternel et je compte mes jours, en me réjouissant du moment où je pourrai dire avec le Psalmiste: «Je me réjouissais quand on m'a dit: Allons dans la maison du Seigneur[33]!»

---

[33] Ps 122,1.

Chère sœur Georgette, quand cela arrivera, heureuse, chante: «Mon âme exulte le Seigneur!» (Luc 1,46)

Je ne veux pas être triste, si cela t'arrive avant moi, car dans chaque situation, nous serons plus proches de Dieu et les uns les autres.

Merci sœur, pour tout! À toi, et à tes fils!

Ne m'oubliez pas dans vos prières et vos souffrances, car je ne vous oublie pas.

Je vous souhaite une Paix et une Joie abondante dans le sein de notre Maman céleste!

Votre petit et pauvre frère,

Janko Bubalo

Humac, 28 mars 1990

Chère sœur Georgette!

Sur la première feuille de mon journal personnel du 3 mars 1938, il y avait ce petit tableau au-dessus duquel j'ai écrit: «MON CHEMIN SUR LA ROUTE DE MA VIE»

Mais ce chemin ne représente pas seulement la route de ma vie. Je l'ai laissé un peu grandir et se multiplier, afin qu'il mène encore à quelqu'un et dise quelque chose.

Nous, toi et moi, chère sœur, nous n'avons pas peur sur ce radeau, car notre Bien-Aimé Conducteur est tout-puissant!

Avec ce signe je te souhaite au nom de Jésus,

Ton fidèle frère Janko[34]

---

[34] En bas du texte, deux questions ont été écrites par le Père Guy: Quel est le but de ma souffrance? Pourquoi je souffre? Par ailleurs, ce message était d'abord écrit en croate et daté du 15. avibnja 1990.

Humac, le 10 mai 1990

Ma chère et respectée, sœur Georgette!

Dans l'attente de Dame Daria à Medjugorje, j'essaie de préparer quelque chose pour toi.

Oui, dans ma lettre du 25 mars, cette année, peut-être que je t'ai trop ennuyée en te racontant mes misères, pendant que toi (tu es heureuse) tu les dis uniquement à ton Père Éternel. Mais moi, comme je l'ai déjà dit tant de fois, je suis tellement petit et faible.

De nouveau, je m'adresse à toi plus ouvertement concernant l'une de mes misères. Je te prierais de demander, avec plus d'ardeur et de force encore, à mon (et le tien) Père Éternel, s'Il pouvait transférer ou adoucir cette difficulté. Autrement dit, parmi tant d'autres maux, je souffre plus particulièrement, de maux de tête persistants. Comme si j'avais reçu un choc électrique dans la nuque.

Et depuis assez longtemps déjà, rien ne fonctionne normalement chez moi. Je suis presque incapable de travailler. Je n'entends plus, ni ne vois normalement. J'ai des problèmes énormes d'équilibre, ce qui fait que je n'arrive pas à me tenir debout.

Voilà, ma chère sœur, si tu penses que c'est raisonnable, demande avec ferveur au Père Éternel, s'Il pouvait améliorer mon état, pour que je puisse, quelquefois, sortir dans notre cour et au moins collaborer un peu avec les vivants et m'y sentir inclus.

Et ainsi je continuerai à offrir au Père Éternel tous mes maux de l'âme et du corps, que j'ai en abondance. Par exemple: des problèmes permanents avec le cœur, difficultés respiratoires, des problèmes avec tout le système intestinal, toutes mes graves psycho-dépressions, de pénibles douleurs rhumatismales dans tout le corps, plus particulièrement dans la colonne et les jambes. Tout ceci, dans l'ensemble, provoque chez moi une douloureuse faiblesse globale à tous points de vue.

Sœur Georgette, jamais, presque jamais, je ne prie pour ma santé. Mais, quelqu'un d'autre, comme ma sœur Mimi, pourrait le faire pour moi, parce qu'elle a de l'influence chez son (et le mien) Père Éternel. Dans ce cas-ci, tu ne prieras pas pour toi-même, mais pour quelqu'un d'autre.

Ma demande se résume à ceci: que tu, chère sœur, demandes avec ferveur à ton (et le mien) Père Éternel, si c'est Sa sainte Volonté, d'éclairer ma tête, pour que je puisse normalement voir les choses autour de moi, et que je puisse sans trop de difficultés me tenir sur mes jambes. En me soumettant à la Volonté du Père Éternel, et à ta sagesse, je te salue dans la joie du Seigneur.

Ton pauvre et reconnaissant,

Petit frère Janko

Chère Mimi, à tes fils et mes frères, Guy et Armand, beaucoup de Paix et de la Joie.

De tout cœur, je le souhaite,

Frère Janko

Montréal, 15 juin 1990

Révérend Père Janko Bubalo,
Messager d'Amour et de Paix,
Mon cher frère Janko,

J'étais très heureuse lorsque la chère Daria m'apporta tant de surprises[35]. Je me croyais à Noël, pour recevoir des présents.

Mon cher frère Janko, vous me comblez; je ne mérite pas tant. Ma dette de reconnaissance est de plus en plus grande. Merci, merci de tout cœur. Je supplie le Père Éternel de vous bénir, et je sais que Maman Marie est continuellement près de vous pour vous protéger, vous soutenir, mais

---

[35] Des images des petits chapelets et des notes accompagnaient le tout.

surtout pour recevoir vos prières, vos souffrances, vos larmes, vos croix, afin de les offrir au Père Éternel, pour qu'Il soit glorifié par le don total de ta belle vie uni au don total de Jésus sur la Croix.

Le don total de Marie, par Son *Fiat* de chaque instant, nous donne un exemple de soumission à la Sainte Volonté du Père Éternel sur nous. Au moment de paraître devant Dieu, c'est la Très Sainte Vierge Marie qui vous portera dans Ses bras de Mère, pour vous offrir au Père Éternel. Quel bonheur!... Pour le moment, Marie est près de vous, comme une Maman qui veille sur toi avec Amour, tendresse, attention de tous les instants.

Mon cher frère Janko, il ne faut jamais te sentir seul et abandonné. Marie Reine de la Paix te regarde sans cesse, toi qui as tout donné, pour La faire aimer et connaître au monde entier.

Aujourd'hui Marie te demande de continuer ton travail de Rédemption avec Son Fils Jésus pour sauver le plus grand nombre d'âmes. Qu'elle est grande et sublime cette mission au service de Dieu, de l'Église, et des âmes! Mon cher frère Janko, toutes tes souffrances physiques et morales, que tu offres à Dieu, sont autant d'actes de purification pour toi, et pour nous tous.

Pour ma part, il me faut me détacher de plus en plus des choses de la terre, du monde, et de moi-même, afin d'être libre pour vivre cette intimité avec mon Bien-Aimé, pour comprendre un peu Son Amour, Sa Miséricorde, pour Le découvrir dans mon prochain.

Avec la grâce de Dieu, et l'humilité de Marie, je dois rester servante de la Sainte Trinité, au service de Dieu, de l'Église et des âmes. J'aime à méditer sur la Vie de Marie; je voudrais partager davantage ce silence intérieur et Son intimité avec la Sainte Trinité.

Mon cher frère Janko, je crois que la Très Sainte Vierge Marie nous fait signe en nous plaçant dans l'isolement de nos chambres et demeures, retenus par la maladie. Comme notre petite sœur sainte Thérèse de l'Enfant Jésus, acceptons avec foi, amour, confiance, ce don Royal de la Croix. Qui sommes-nous pour que Dieu daigne nous choisir pour nous associer, par la souffrance, à la Passion de Son Fils Jésus? Nous sommes si faibles, si indignes, mais la seule réponse à tout cela est l'Amour Miséricordieux du Père Éternel pour chacun de nous.

Mon cher frère Janko, notre cœur devrait être continuellement dans la joie, intérieure et extérieure, être heureux d'être où Dieu désire que nous soyons, être toujours prêts à répondre *Oui* en disant: Merci mon Dieu. Seule Marie peut nous aider! Malgré nos larmes, les cris de notre douleur par la souffrance aiguë, nos tentations, notre désespoir, tout est si précieux dans cette purification de l'âme, du cœur, de l'esprit, dans un corps blessé, souffrant... que parfois notre lit devient l'autel où un jour nous nous offrirons pour une dernière fois, avec Jésus, comme holocauste d'Amour au Père, par les Mains Puissantes de Marie Reine de la Paix.

Mon cher frère Janko, demandons sans cesse à Marie de nous aider à préparer notre dernière demeure dans la Maison du Seigneur, pour posséder le bonheur éternel avec Dieu. En écrivant ces mots, j'ai de plus en plus la nostalgie du Ciel, en pensant que chaque pas qu'il nous reste à faire est déjà compté... chaque jour un pas de moins sur la terre, un pas de plus vers l'éternité.

Mon cher frère Janko, tu me parles de tes problèmes, de tes croix physiques. Je suis très sensible à tes douleurs, mais, cependant, je suis heureuse d'apprendre que dans ce domaine nous sommes identiques dans nos souffrances, dans nos croix.

Que c'est beau et grand d'appartenir au Corps Mystique de l'Église! Comme membres, nous participons au grand mystère de la Rédemption, avec nos frères et sœurs qui souffrent dans le monde.

Ce qui fait notre force pour accepter les souffrances est notre foi en la Présence réelle de Dieu en nous. Sachant bien que sans Dieu dans nos vies nous ne pouvons rien. C'est par notre faiblesse et notre pauvreté, nos péchés, que Dieu Miséricordieux Se penche vers nous pour nous aider, nous accueillir. Notre misère l'attire afin de nous faire saisir Sa présence, Son Amour, Son intimité. Quelle douceur que de savoir, de croire qu'Il est avec nous sur notre croix.

Oui, l'Amour dans la souffrance peut se vivre en acceptant la Sainte Adorable Volonté de Dieu sur nous. Avec la Très Sainte Vierge Marie, redisons sans cesse le *Fiat* dans l'Amour et la souffrance.

Devant notre crucifix, méditons sur la valeur de la souffrance, avec respect baisons Ses Divines Plaies. Et sur Son Cœur, disons merci de Son Amour, merci du don total de Sa Vie pour nous sauver et nous mériter le Ciel. En attendant ce beau jour où nous serons avec Dieu, que notre cœur soit toujours en action de grâces et que nos âmes s'élèvent de plus en plus dans la prière, l'amour et la paix pour glorifier le Père, avec Jésus, par les Mains de Marie Reine de la Paix.

Avec regret, je dois te quitter, mais je te porte toujours dans ma prière et dans mon cœur. Je compte de plus en plus sur tes prières et souffrances. Je n'oublie pas les voyants et les voyantes. Demande-leur, s'il vous plaît, de bien prier pour moi, pour mes fils spirituels Guy et Armand, pour ma famille, pour ceux qui se recommandent à nos prières. Merci pour les tableaux, ils sont si beaux. Je te retrouve dans l'enfant qui veut soulager les plaies de Jésus; c'est là le but de ta vie... Merci pour ce don, tout est bien placé. Tu es toujours présent durant l'offrande de la Sainte Messe. Je demande au Père Éternel de te bénir et à Jésus de te combler de Son Amour, et à l'Esprit Saint d'être avec toi toujours. Que Marie te garde dans Ses bras près de Son Cœur qui t'aime.

La petite servante de Dieu,

Georgette Faniel

Montréal le 9 janvier 1991

Mon cher frère Janko,

Apôtre de l'Église et serviteur de Marie,

Au début de cette année 1991, où Dieu le Père Éternel va Se manifester d'une manière très spéciale envers Marie Reine de la Paix à Medjugorje[36].

C'est avec le cœur de Marie et celui de Jésus que je voudrais rendre gloire et louange au Père pour tout Son Amour miséricordieux envers chacun de nous.

Dans le temps où nous sommes, nous vivons des heures d'angoisses[37], de peines, face à ce qui se passe autour de nous, en pensant aux guerres dans différents pays, où cette haine se manifeste entre les peuples. L'esprit de domination suscité par l'esprit de l'orgueil, du pouvoir, de la puissance, la jouissance, etc.

Les pauvres, les petits sont toujours les victimes de cette violence, de cette forme diabolique. Il y en a tellement à travers le monde. Même au Canada, nous vivons des heures difficiles. Dans beaucoup de familles, les foyers sont divisés... (Et non divinisés). C'est pourquoi il faut prier davantage, jeûner, offrir des sacrifices, faire pénitence, spécialement pour ceux que Dieu rappelle à Lui et qui ne sont pas prêts.

Oui, paraître devant Son Dieu avec un cœur froid, sans amour, sans confiance, avec indifférence, les mains vides... Quelle peine pour notre Père. De voir la conduite de Ses enfants, et malgré l'indifférence, le mépris, Dieu est toujours là, bien présent avec Sa puissante Miséricorde, et Son Amour est tellement grand pour chacun de nous.

Il est présent pour nous aider dans tous nos besoins. Il est de plus en plus près, dans nos peines, nos épreuves. Son regard de Paix est fixé

---

[36] C'est-à-dire: Marie Reine de la Paix comblera d'Amour et de Miséricorde tous les pèlerins.
[37] Mimi parle des guerres en général.

continuellement sur nos vies, pour nous diriger vers Lui, afin de mieux Le connaître, L'aimer, Le servir.

Pourquoi cette peur envers Le Père Éternel?
Pourquoi ne pas lui faire confiance?
Pourquoi ne pas croire à Son Amour infini?
Pourquoi ne pas L'aimer comme Il le mérite et le désire?
Pourquoi ne pas nous laisser aimer et saisir par Lui qui nous aime tellement?

Pourquoi ne pas préparer notre rencontre, puisque chaque jour nos pas se dirigent vers Lui, vers cet Amour infini qui nous tend les bras pour nous faire partager le bonheur éternel?

Mon cher frère Janko, chaque jour je fais cette prière pour vous, je demande au Père Éternel de poser Sa Main puissante pour vous bénir, Lui qui vous aime assez pour vous donner cette vie, cette âme qu'Il a choisie, pour vous garder à Son service des âmes, comme prêtre et victime. Je demande à Jésus crucifié de vous bénir, de vous purifier de plus en plus par Son Précieux Sang et de vous fortifier par la Présence Réelle de Son corps Sacré en votre chère âme, à partir de ce jour jusqu'à la dernière hostie consacrée sur terre.

Je demande à l'Esprit Saint que vous avez reçu à votre baptême, à votre confirmation, et spécialement à votre ordination par le don total de votre vie, d'être bien vivant en vous, avec tous Ses dons, pour vous aider en tout avec le discernement que vous avez besoin, pour vous conduire au Père Éternel.

Je demande à Maman Marie Reine de la Paix de vous garder dans Ses bras de Mère, près de Son cœur qui vous aime, vous Son enfant tant aimé. Qu'elle vous protège de tous vos ennemis, visibles et invisibles. Je La remercie pour tout ce qu'Elle fait pour vous, avec vous, pour la gloire du Père et du Fils.

Puis je termine la prière en vous confiant à votre ange gardien, qui est toujours près de vous. C'est lui qui vous précédera au Ciel, portant avec joie, votre croix qui sera lumineuse. Combien j'aimerais être présente pour voir votre entrée dans la maison de notre Père Éternel, notre Père!

En attendant, je remercie le Père pour tout ce qu'Il fait pour vous, je vous souhaite beaucoup de santé pour continuer votre route, dans un abandon total à la Sainte Volonté du Père sur vous, sachant que votre chère âme est bien gardée dans le cœur et les mains de Marie Reine de la Paix.

Pour moi, je voyage souvent et je vous visite par la prière, je n'oublie pas les voyants et voyantes, demandant à Dieu de les aider dans leur belle mission… Je me recommande à leurs prières car je suis encore dans ma deuxième chute.

Mon cher frère Janko, je vous demande de me bénir et de m'offrir; de bénir ceux que je porte dans ma prière et dans mon cœur. Merci, et je vous aime dans le cœur du Père, du Fils et de Marie.

La petite servante du Père au service de l'Église et des âmes,

Georgette Faniel, Mimi

Humac, 22 janvier 1991

Estimable et chère sœur Georgette,

Hier j'ai accueilli Madame Daria et ton fils qui est mon frère Guy. La joie était grande! De toute cette joie, ce que j'aimais le plus: la lettre de ma sœur Georgette. Cette lettre me dit toujours l'Amour de Dieu et tes prières m'encouragent pour tout ce que je donne au Père Éternel et à la Reine de la Paix, qui tous deux nous consolent et viennent régulièrement en ce sens. C'est comme ça qu'avec plus d'amour, on fête le Seigneur.

Sœur Mimi, je voudrais découvrir beaucoup de choses qui se trouvent au fond de mon âme, mais en ce moment je n'ai pas la force pour ça.

Spécialement parce que je ne sais pas écrire en français et ce n'est pas agréable de demander aux autres qu'ils te disent en mon nom.

Et maintenant, ce qui est le plus important et nécessaire.

Quand tu trouveras l'occasion, dit au Père Éternel: frère Janko Bubalo vit depuis une année avec ses souffrances. Est-ce que le Père Éternel pourrait lui dire le but et le sens de ses souffrances?

Au Père Janko Bubalo, il était dit qu'il pourrait encore une fois venir à Medjugorje. Père Éternel, est-ce que Tu pourrais lui dire quand cela arrivera?

C'est comme ça, chère sœur. Les réponses du Père Éternel (même s'Il ne dit rien), tu pourrais les dire à un de tes fils et ils passeront le message. Ça pourrait me venir par la poste, parce qu'il n'y a rien de spécial dans ça[38].

En te portant dans mes prières de tous les jours, de tout mon cœur je te souhaite la paix, l'amour et la joie dans le cœur de Jésus et de Sa mère.

Pauvre frère Janko

Montréal, dimanche le 28 avril 1991

Cher frère Janko,

Privilégié du Père Éternel et de Marie,

Vous allez sûrement sourire en lisant ce titre!... Mais non, il vous va très bien, et de plus il est inspiré par l'Esprit Saint. En effet, c'est un grand privilège que Dieu vous donne en voulant vous associer davantage à la souffrance, à la Passion de Son Fils Jésus, qui était aussi la douleur de Marie. Où est la Croix Marie est toujours présente.

Mon cher frère Janko, j'ai longuement prié l'Esprit Saint afin de découvrir avec vous la grande valeur de la souffrance et son utilité sur cette terre,

---

[38] Les courriers étaient vérifiés par le parti communiste.

pour chacun de nous. La réponse est toujours l'Amour de Dieu et des âmes. Si nous oublions que notre souffrance unie à Celle de Jésus est rédemptrice, que nous reste-t-il... d'espoir, d'espérance, de confiance, d'abandon à la Sainte Volonté du Père Éternel sur nous?

Le Père Éternel a tracé le Chemin de Croix, et Jésus a marché avec Sa Croix pour obéir au Père jusqu'au don total de Son Amour et de Sa vie. Jésus nous invite à Le suivre en portant notre croix de chaque jour, pour coopérer au salut des âmes, afin de les offrir au Père pour Le glorifier. Sans l'aide de l'Esprit Saint, nous sommes si pauvres, si petits, pour saisir le vrai sens de la souffrance et l'étendue de l'épreuve, la valeur de la Croix.

Le plus important est d'accepter par amour et nous laisser conduire par Marie, avec Jésus, vers le Père, en portant notre petite croix de chaque jour, de chaque instant. Peut-on avec notre petite intelligence comprendre l'étendue de l'épreuve dans nos vies, et la valeur de la Croix? Cependant notre foi nous aide à accepter sans comprendre la richesse, incalculable de la Croix.

La Croix a un prix infini aux yeux du Père, car elle a porté le Corps sacré du Fils de Dieu, le Roi des rois, et par Sa mort sur cette Croix, a racheté et sauvé le monde!

Mon cher frère Janko, je vous comprends. Ce n'est pas toujours facile de porter sa croix chaque jour. Demandons avec foi et confiance à Marie de nous aider à accepter la Sainte Adorable Volonté du Père sur chacun de nous.

Porter sa croix chaque jour, c'est accepter jour après jour les épreuves, nous laisser purifier pour le plus grand bien de nos âmes; c'est de nous détacher de plus en plus des choses de la terre, du monde et de nous-mêmes.

Il y a tellement de croix qui marquent nos vies: la croix de la souffrance physique ou morale, la croix des tentations, du découragement qui nous enlève la possibilité d'accepter, de continuer notre chemin, la croix de nos péchés qui ferme nos yeux à la lumière et nous fait marcher dans la noirceur. Aveuglés par cet état d'âme, nous ne pouvons aller vers la Lumière et toucher la Miséricorde de Dieu pour y découvrir tout Son Amour pour chacun de nous. Il y a la croix des doutes qui nous éloigne de Dieu par le manque d'abandon, de confiance en Son Amour Miséricordieux.

Dans Son Plan Divin et Sa Sagesse infinie, Dieu le Père Éternel a voulu, qu'à l'exemple de Son Fils Bien-Aimé, nous portions aussi notre croix, que nous marchions à Sa suite, avec Lui, et en Lui, dans un abandon total à la Sainte Volonté du Père en nous.

Une croix acceptée par amour de Dieu devient légère, parce que l'amour est pur et puissant. C'est ce qui a fait la force des martyrs. Cette foi en la puissance de l'Amour de Dieu sur nous dans les épreuves et les croix, dépasse notre intelligence. C'est seulement avec l'humilité de Marie, le pouvoir de la grâce, que nous pouvons saisir un peu le sens des épreuves et la valeur de la Croix.

Il ne faut jamais l'oublier. La Croix n'est rédemptrice qu'avec la Victime immolée, Jésus, c'est-à-dire l'immolation de Jésus, peut-être aussi la nôtre, si par amour, nous acceptons et unissons notre souffrance, notre mort sur la Croix. Là seulement notre croix deviendra glorieuse pour glorifier le Père Éternel. Les épreuves de la vie, la maladie, les infirmités, etc, ne sont pas toujours des malédictions, mais bien des expiations pour nous aider à embellir nos âmes, pour la rendre plus agréable à Dieu.

Demandons à Dieu d'accepter de porter notre croix avec amour. Méditons souvent en regardant Jésus portant Sa Croix en silence, aucune plainte. Durant ce douloureux Chemin de Croix, Jésus S'offrait au Père, en silence, uni aux larmes et au silence de Marie.

À leur exemple, demandons avec foi et confiance, la grâce d'accepter les épreuves et les croix que Dieu nous donne comme cadeau Royal puisque, par Jésus mort sur la Croix, Il nous a ouvert le Ciel. Baisons souvent le crucifix, pour que dans les moments difficiles, nous retrouvions le courage et la paix.

Devant les plaies de Jésus, oublions nos plaies physiques et morales. Dans la souffrance, la plaie la plus grande que nous puissions avoir est la plaie du péché, du manque de confiance en Dieu Miséricordieux. Dans un acte d'humilité, demandons pardon de ne pas toujours accepter les épreuves de cette vie, et les croix. Demandons à l'Esprit Saint, la force et le courage d'accepter la Sainte Volonté de Dieu sur nous, pour Sa plus grande Gloire et le triomphe de Marie Reine de la Paix.

Mon cher frère Janko, chaque jour dans ma prière, je vous offre au Père par les Mains de Marie; j'offre vos souffrances physiques et morales. J'offre surtout l'état de votre chère âme que Dieu regarde avec Amour et Miséricorde.

Si vous pouviez comprendre combien Dieu vous aime, votre cœur de chair ne pourrait survivre à tant d'Amour. Dieu vous a choisi pour être Son autre Jésus, comme prêtre et victime.

Mon cher frère Janko, ensemble continuons notre route, c'est-à-dire notre chemin de croix. Chaque jour, c'est un pas de plus vers le Ciel et un pas de moins sur la terre... ce Ciel où le Père Éternel nous attend avec Jésus, puisque c'est dans les bras de Marie que nous sommes placés. À ce sujet, je vous envoie une photo que les Pères Guy et Armand Girard ont prise. Il y a un arrangement inspiré par l'Esprit Saint, c'est-à-dire la photo de Marie tenant dans Ses bras de Mère, deux enfants. L'enfant représenté près de Son Cœur, c'est Jésus; l'autre enfant, c'est <u>Janko</u>.

Oui, c'est bien vous Janko, tout petit dans les bras de Marie!... C'est avec amour qu'Elle vous regarde aujourd'hui comme à l'heure de votre mort. Sa Main Puissante dans un geste délicat semble dire: «N'aie pas peur, Je veille sur toi; à ton réveil Je serai encore là avec Mon Amour, pour toujours.»

Mon cher frère Janko, j'ai trouvé pour toi une très belle prière que j'ai beaucoup aimée lorsque j'avais vingt ans, et qu'aujourd'hui, je récite et qui m'aide encore à comprendre la souffrance.

Cette prière nous aide à mieux comprendre la souffrance dans nos vies, et pourquoi notre souffrance est utile.

La prière, c'est-à-dire le Credo d'une malade[39], nous fait comprendre davantage l'importance dans notre vie d'accepter et d'offrir tout à Dieu, dans un abandon total d'amour, par le don total de notre vie.

Le Père Éternel a besoin de chacun de nous. Devant le cortège des misères humaines, Dieu nous demande de prier, de faire des sacrifices et d'offrir nos souffrances par amour, pour correspondre à Sa Sainte Volonté sur nous, pour répondre à Son appel.

L'Église a un besoin urgent de nous. Le Saint-Père Jean-Paul II attend le secours de nos prières et sacrifices. La Paix dans le monde ne se fera qu'en priant avec foi, demandant le secours de Marie Reine de la Paix.

Mon cher frère Janko, soyons généreux, répondons un gros *Oui* avec Marie. Ce *Fiat*, Dieu nous le demande, sans demander pourquoi. Regardons la photo avec l'enfant dans les bras de Marie qui, avec un sourire divin, semble bien chanter à Janko:

> «Dors en paix, bel enfant blanc et rose.
> Dors en paix Mon enfant, Mon Amour.
> Un sourire et tes yeux se reposent.
> Je voudrais le garder pour toujours.»

Pour moi, c'est un chant merveilleux. Je voudrais mourir bien petite dans les bras de Marie. Je demande la même chose pour les Pères Guy et Armand, sans oublier Janko.

Mon cher Janko, je vous souhaite beaucoup de paix, de santé, vous confiant à la Divine Providence et aux soins de Marie. Mon cher frère Janko, soyez heureux d'être le serviteur de Dieu, au service des âmes. Quelle belle mission vous avez!

C'est avec une protection toute spéciale que Marie Reine de la Paix Se penche sur vous pour vous aider, vous soutenir, puisque vous portez en

---

[39] Voir page 21.

votre chère âme la présence réelle de Dieu. Quel privilège que de recevoir Jésus et de Le garder...

Je demande à la Cour Céleste de rester en action de grâce près de vous, pour vous protéger, vous soutenir dans votre pèlerinage à Medjugorje en juin 1991 à l'occasion du dixième anniversaire des apparitions de Marie Reine de la Paix. Ce jour-là, le Ciel entier sera en liesse et la terre aussi.

Mon cher frère Janko, pour le moment beaucoup de repos, de prières confiantes... Marie vous attend le cœur et les bras ouverts... Action de grâces. Cher frère Janko, priez pour moi, s'il vous plaît, j'en ai grand besoin pour continuer ma route dans ce long Chemin de Croix; parfois il me semble qu'il n'y aura pas de fin...

Le 21 avril 1991, j'ai fêté le soixante-dixième anniversaire de ma première communion, et en même temps le soixante-dixième anniversaire de maladie. À cette occasion, les Pères Guy et Armand Girard ont célébré la Sainte Messe. Messe d'action de grâce et d'intercession auprès du Père Éternel, de Jésus, de Marie Reine de la Paix. Vous n'étiez pas étranger à cette Messe.

Pour ma santé, je suis toujours dans les bras de Jésus ou sur la Croix. Parfois pour refaire mes forces, je dors dans les bras de Marie, comme sur la photo. (Le sternum n'est pas guéri, ad vitam aeternam, Amen) Je vous quitte avec regret, et me recommande à vos prières, ainsi que les personnes qui demandent des prières, des guérisons, et pour ceux que Dieu place sur ma route.

Mon cher frère Janko, préparons nos cœurs pour accueillir le beau mois de mai, mois de Marie. Je vous porte toujours dans ma prière et dans mon cœur. Je vous aime en Jésus et Marie. Je demande au Père Éternel de vous bénir. Je demeure toujours la petite servante de Dieu au service de l'Église et des âmes.

Georgette Faniel (Mimi)

P.S. Je prie pour les voyants. Que Dieu les garde dans Son Amour.

Humac, 21 mai 1991

Chère sœur Georgette,

J'ai perdu presque toute la vue. Je me trouve dans une grande souffrance et misère causées par de forts maux de tête spécialement à la nuque. C'est ainsi que, dans ce crépuscule, j'en suis venu presque à perdre la raison et je ne sais pas comment supporter cela. Je ne peux pas célébrer la Messe et même prier, car je ne peux accompagner ma pensée avec les mots.

S'il vous plaît, toi qui es servante du Père Éternel, dis à ton Père (et mon Père) qu'Il ait un regard sur moi, qu'Il me donne Sa grâce afin que je puisse célébrer la Messe et que je puisse encore au moins une fois aller à Medjugorje. Prie avec ardeur le Père Éternel – pour son pauvre serviteur qui n'est pas digne – jusqu'à ce qu'Il entende. Je te le demande au nom de ce qui nous unit.

Ton petit frère,

Janko

Humac, 21 mai 1991

Ma sœur Mimi,

Tous les jours, au moins cinq à six fois, je t'offre à Jésus et Sa mère en demandant qu'Ils t'aident à l'abandon dans tes souffrances.

Je te souhaite beaucoup de grâces et de joie parce que c'est tout ce que je peux te donner.

Fraternelle salutation,

Ton pauvre frère Janko

Montréal, lundi le 17 juin 1991

Mon cher frère Janko,
Confident de Marie,

Je remercie l'Esprit Saint de m'avoir inspiré un si beau titre. N'est-ce pas merveilleux d'être le confident de Marie Reine de la Paix! Cela vous donne le privilège de garder bien des secrets dans votre cœur. Dieu soit loué!

Mon cher frère Janko, je tiens à vous remercier pour les lettres et leur contenu, si remplies d'espoir. Merci pour votre délicatesse et pour ce beau cadeau, une boîte magnifique.

C'est toujours une grande joie, lorsque je reçois de vos nouvelles par notre ange Daria. Elle me parle de vous avec tellement de respect et d'affection, il me semble parfois que vous êtes là devant moi. J'espère qu'au Ciel il y aura un endroit discret où nous pourrons causer ensemble des merveilles de Dieu. Pour le moment, il nous faut nous unir par la prière et la pensée.

Ce lien que Dieu a déposé en nos âmes, Marie en est le trait d'union. Merci Père Éternel, merci Marie. Cette mission de faire connaître le Père Éternel, devient de plus en plus grande. Je ressens un besoin urgent, devant tant d'indifférence, de mépris, de lâchetés, de paresse, d'ignorance.

Devant le cortège de misères humaines, Dieu le Père regarde et écoute. Son Cœur souffre avec le Cœur de Son Fils Jésus, et Celui de Marie. Pourquoi?... Pourquoi tant d'ingratitude de la part de Ses enfants de la terre?

Le Père Éternel: «Que veulent-ils de plus que Mon Amour? J'ai donné Mon Fils Bien-Aimé, Je leur donne Marie pour Mère, Je leur donne Mon Amour Miséricordieux à chaque instant. Ma Miséricorde est accessible, accueillante, pourquoi craindre? Pourquoi avoir peur de Moi, leur Père?

«Malgré tout, Je les aime tous, sans exception. Je les attends les bras tendus vers eux, le Cœur ouvert rempli d'Amour. Chaque jour, Je les comble de grâces de choix.

«J'attends parfois des années pour recevoir un seul petit acte de foi, de repentir, d'amour. Il ne faut pas l'oublier, Mon Fils est mort par l'ingratitude et la méchanceté des hommes, mais Son Cœur était déjà blessé par l'Amour. Il est mort d'Amour! Ce peuple qu'Il a tant aimé!...»

Aujourd'hui, c'est l'ingratitude, mais c'est surtout l'indifférence devant tant d'Amour que Dieu nous donne gratuitement. Pourquoi ne pas répondre à Son Amour Miséricordieux? Il est patient, Il nous donne Jésus chaque jour, pour nous aider. Il met en chacun de nous l'Esprit Saint bien vivant pour nous conduire, nous diriger dans le chemin qui conduit au Ciel.

Marie vient sur la terre nous visiter pour nous parler, nous inviter à prier avec foi et confiance. Ses messages sont remplis d'Amour, de conseils. Inlassablement, Elle s'adresse à chacun de nous!

Maman Marie: «Écoute Mon enfant, c'est parce que Je t'aime que Je viens te parler, te supplier de répondre à Mon Amour, à Mon Appel. J'attends seulement un acte de bonne volonté de ta part!

«Pourquoi ne pas venir te jeter dans Mes bras de Mère, comme un tout petit enfant? Ne crains pas, n'aie pas peur. Je ne te veux pas de mal; au contraire, Je veux t'aimer davantage. Je veux guérir tes plaies, toi qui es blessé dans ton âme, dans ton cœur, dans ton corps. Viens petit enfant que J'aime, approche. Donne-Moi ta petite main tremblante, que Je la place près de Mon Cœur de Mère qui t'aime d'un Amour infini puisque Je t'aime avec l'Amour du Père, le Cœur de Jésus et de l'Esprit Saint, l'Esprit d'Amour. Viens Mon petit enfant, viens te reposer, sèche tes larmes, ferme tes yeux et dors en paix. Fais-Moi confiance, Je te garderai toujours dans Mon Amour.

«Je t'apprendrai à accepter la Sainte Volonté du Père sur toi. Je t'apprendrai à répondre *Oui* à l'appel du Père. Je t'apprendrai à aimer, à pardonner, à donner sans recevoir en retour. Je t'apprendrai à te détacher de toi-même, des choses de la terre et du monde. Dieu attend beaucoup de toi, cher enfant.»

Mon cher frère Janko, comment ne pas dire, avec Marie, un *Oui* plénier au Père Éternel?...

Souvent nous le disons, mais aujourd'hui Dieu nous demande de le redire avec le Cœur de Marie, à l'occasion du 10ᵉ anniversaire de Sa visite sur terre à Medjugorje. Je demande à Marie de vous envoyer les anges pour vous conduire au lieu des Apparitions pour rencontrer Marie qui vous attend avec Son Amour. Je vous souhaite beaucoup de bonheur, de joie, de santé, de paix, près de Marie (gardez-moi s'il vous plaît une petite place, merci.)

Mon cher frère Janko, chaque jour je prie pour vous et je vous confie à Marie, sachant qu'Elle veille sur vous et vous garde bien précieusement sur Son Cœur de Mère, qu'Elle vous protégera toujours. Je Lui demande de poser Sa Main puissante sur vos yeux pour les guérir et je Lui dis merci. Merci au Père Éternel de tout ce qu'Il fera de beau et de grand en vous. Soyez toujours dans l'action de grâce de tout ce que nous recevons, les croix comme les joies.

Ensemble, mon cher Janko, soyons dans la Paix du cœur, de l'âme, de l'esprit, afin que tout ce que nous offrons et acceptons soit pour la Gloire du Père Éternel et le triomphe de Marie Reine du Ciel et Reine de la Paix. Je souhaite qu'Elle demeure toujours avec nous sur terre, nous avons tellement besoin d'une Mère.

Mon cher frère Janko, je vous quitte avec regret, mais je vous garde dans ma prière. Je me recommande à vos prières et offrandes que vous adressez au Ciel. Je vous confie ceux et celles qui se recommandent à mes prières, ma famille, ceux que je porte dans ma prière et dans mon cœur, spécialement mes deux fils Père Guy et Père Armand, Jean-Pierre et autres. La liste est tellement longue, Dieu les connaît tous.

Union de prières, toujours je vous porte dans mon cœur et je vous aime avec le cœur de Jésus et de Marie.

    La petite servante de Dieu au service de l'Église et des âmes.

Georgette Faniel (Mimi)

P.S. Je suis heureuse que le Père Armand Girard soit avec vous. Je prie pour les voyants.

Humac, le 24 juin 1991

Très respectée et très chère Georgette,

En lisant ta lettre inspirée, avec l'aide d'un confrère qui était autrefois mon élève, je me suis servi de ma loupe (car depuis 2 mois, je souffre de cécité).

J'ai été profondément touché par ton amour et l'Amour de notre Dieu et frère Jésus de Nazareth. Je suis reconnaissant au Père Éternel de m'avoir donné «toi», surtout quand j'en avais le plus besoin. Il t'a envoyée à ma rencontre et par toi, Il m'a donné beaucoup de consolation et d'inspiration.

Je t'offre quotidiennement, avec beaucoup de joie et de sincérité, au Cœur de Jésus, de Sa Mère, notre Mère Marie. Je Leur demande de t'inspirer toujours pour que tu puisses toujours, avec ton amour et tes souffrances, t'offrir pleinement pour la Gloire de Leur cœur, et offrir tous ceux qui pourraient devenir les frères de Jésus et les enfants de Sa Mère Bien-Aimée.

Je me réjouis d'avance de notre rencontre finale, après (le mien et le tien) ce passage sans retour, à travers cette rivière mystérieuse qui sépare les vivants des Vivants. Je te prie de ne pas m'oublier dans ta souffrance et dans ta conversation avec le Père Éternel.

Jusqu'au bout, ton pauvre frère Janko aura besoin de tes soins et de tes sacrifices. Ne m'oublie pas dans ta correspondance, car elle est pour moi source d'inspiration qui m'aide à passer à travers mes propres souffrances et mes épreuves.

Je regrette de ne pas être à Medjugorje pour l'anniversaire, mais ma Maman Reine de la Paix aurait pu m'accorder Sa grâce, si cela avait été la Volonté du Père et Sa volonté; mais, Eux voulaient que ce soit ainsi, pour que je m'offre de bon cœur, dans la solitude totale, et être capable de prononcer avec joie **que ta Volonté soit faite**! Amen.

Je ne t'ai presque rien écrit et déjà je suis très fatigué et je dois m'arrêter. Que l'Amour et la Joie de Dieu le Père, le Fils et le Saint Esprit descendent sur toi en abondance et restent avec toi, jusqu'à l'union finale. Je te le souhaite de tout cœur.

Ton petit et pauvre frère Janko

Montréal, 21 juillet 1991

Mon cher frère Janko,

Le plus petit des petits,

En recevant ta belle lettre, j'étais très heureuse de recevoir de tes nouvelles, mais j'étais peinée d'apprendre cette faiblesse de tes yeux. Mon cher petit frère Janko, dans cette épreuve il te faut encore remercier Dieu, en pensant à toutes les années où tu pouvais voir et admirer ce que Dieu permettait que tu regardes, avec cette vision céleste, cachée aux regards humains. Comme poète, tu voyais des choses merveilleuses que nos pauvres yeux ne pouvaient voir.

Mon cher Janko, que penser de ce que tu vois maintenant avec les yeux de l'âme! Je ne veux pas être indiscrète, mais l'union de nos deux âmes me donne de l'audace pour percevoir toute cette grandeur, cette beauté, cette richesse. Malgré ma petitesse et ma pauvreté, Dieu permet que je puisse saisir un tout petit peu l'éclat de ta petite âme, remplie d'amour; tout en toi respire cette paix.

Chaque jour je remercie le Père Éternel de permettre cette union de nos âmes. Sans se connaître, nous avons pris la même route, celle de l'amour et de la souffrance et, au bout de notre chemin, il y a la petite rivière mystérieuse où nos âmes se rencontreront. Et, à ce moment-là, nous pourrons jouir d'un grand bonheur, car le premier attendra l'autre, dans le calme et la Paix, se laissant bercer dans les bras de Maman Marie. Car tu sais, Marie est déjà au rendez-vous...

Mon cher frère Janko, combien de fois en recevant tes lettres je me rendais, par la prière et la pensée, près de toi. Je ne voyage jamais seule. Marie est toujours présente pour venir accueillir tes peines, pour guérir tes blessures, pour consoler ton pauvre petit cœur blessé, comme Celui de notre frère Jésus, et Celui de Marie.

Tu sais cher Janko, pour comprendre la valeur de la souffrance, il faut à l'exemple de Jésus porter notre croix, la porter avec amour, foi, et confiance, espérance et paix.

Je te remercie de m'offrir au Père avec Jésus et Marie notre Mère, et pour ma part, tu es toujours présent à la Sainte messe, lorsque tes frères Guy et Armand Girard célèbrent la Sainte Eucharistie dans la demeure du Père Éternel, où je suis chez-moi.

Au commencement de la Sainte Messe, je me représente au Calvaire, et là, au pied de la croix, j'adore et je regarde mon Bien-Aimé Jésus sur la croix. Mes yeux sont fixés sur Son Divin Cœur rempli d'amour.

Janko, il n'y a pas de mots pour décrire la vision du cœur blessé de Jésus, mais je sais que tu comprendras, ayant déjà eu toi-même ces moments d'intimité avec Jésus crucifié. Tes tableaux reflètent ton état d'âme et ta pensée, c'est-à-dire toujours petit comme un enfant, prêt à consoler et guérir les plaies de Jésus.

Donc je continue encore au pied de la croix. Je supplie la Vierge Marie de me prêter Son cœur blessé afin de ressentir en mon âme, et dans tout mon être cette douleur, devant Son enfant adoré, Son Jésus notre Bien-Aimé.

Puis je demande à Jésus crucifié de me donner, de ressentir toute la peine, le repentir, le remords qu'avait pu ressentir Marie Madeleine au pied de la croix devant Jésus agonisant. Avec les larmes de Marie, de

Marie Madeleine, j'unis mes pauvres larmes, et là les larmes de Jésus deviennent des larmes de joie, pour glorifier Son Père, notre Père.

Puis regardant saint Jean, je demande humblement à Jésus de posséder tout l'amour que saint Jean avait pour Lui, d'avoir sa foi, sa fidélité, sa confiance, son amour, pour être toujours près du cœur de Jésus.

Parfois je ressens le besoin de me reposer près du cœur de mon Bien-Aimé Jésus. Janko as-tu déjà ressenti l'étreinte d'amour de Jésus? Tu sais nous pouvons en mourir! J'aimerais mourir d'amour pour Lui! Je te souhaite le même bonheur.

Mon cher frère Janko, je tiens à te rassurer; avec l'aide de Dieu, je serai toujours près de toi, avec ma prière, mes souffrances et mes sacrifices.

Janko n'aie pas peur pour l'avenir, sois confiant toujours. Marie, Reine de la Paix, Se place près de toi continuellement, et comme je suis Sa petite servante, je suis tout près pour t'aider jour et nuit.

Dans mes conversations avec le Père Éternel, je suis très bavarde lorsqu'il s'agit de parler de toi. Mais Lui est très discret à ton sujet, car Il te connaît très bien et Il aime tellement Son petit Janko.

Je rends grâce à Dieu pour le beau présent que tu as offert au Père, à l'occasion du 10ᵉ anniversaire, en acceptant Sa Sainte Volonté en tout.

Tu sais, Janko, c'est une grande grâce que Dieu nous accorde d'accepter Sa Volonté, surtout par amour. Combien d'âmes ont été touchées par la grâce due aux sacrifices que tu as offerts au Père, par Marie Reine de la Paix. Dans ta solitude, Jésus était présent, puisqu'Il habite toujours ta chère âme, et la joie que tu ressentais en toi était bien le don total de ton amour pour Dieu.

Mon cher frère Janko, je te remercie de dire merci à Dieu. Que ton merci soit toujours uni au *Fiat* de Marie. Je demande à Dieu le Père Éternel de te bénir, Lui qui t'a aimé assez pour faire de toi Son prêtre, Son serviteur.

Je demande à Jésus de te bénir, de te purifier par Son Précieux Sang. Il t'aime comme si tu avais été seul sur terre.

Je demande à l'Esprit Saint d'être bien vivant en toi comme au jour de ta confirmation. Qu'Il te donne Ses grâces de choix, en tout temps, jusqu'au jour de l'union parfaite dans la Gloire du Père Éternel.

Je te souhaite une meilleure santé pour accomplir ta mission d'amour. Union de prières, toujours.

La petite servante de Dieu au service des âmes et de l'Église.

Georgette Faniel

Prière en réparation pour les outrages à l'eucharistie

Père Éternel, par le Précieux Sang de Votre Fils Bien-Aimé,

Ses mérites, Ses divines plaies,

Unis aux douleurs de Marie Immaculée,

PARDON ET MISÉRICORDE!

À la Trinité Sainte, par la Cour Céleste, les âmes fidèles,

Louange, Amour et Gloire!

Jésus au Très Saint Sacrement, ayez pitié de nous et sauvez-nous!

Amen.

Mon cher frère Janko,

Cette prière a été inspirée par Jésus au moment où j'étais très souffrante, dans la nuit. Je Lui ai demandé pour qui voulait-Il que je prie. Il me dit de prendre le chapelet, et à chaque grain de réciter la prière que voici. Cela me donna une grande paix et une immense joie. Merci mon Bien-Aimé Jésus.

La petite servante de Jésus,

Georgette Faniel

29 juillet 1991

Mon cher frère Janko,

Dans ma lettre, je ne t'ai pas parlé de mon état d'âme et pourtant j'ai un grand besoin de prière. Je vis des heures terribles qui ne peuvent s'exprimer qu'en les vivant, c'est-à-dire sans espoir, sans goût, pour rien, et surtout ne pas avoir besoin de parler et même de ne voir personne. Cependant la présence des Pères Girard et du docteur Fayez m'aurait été d'un grand secours, mais ils furent absents pendant trois jours. Ce n'est pas le fait qu'ils soient absents qui me mettait dans cet état, mais dans mon découragement, je ne voulais aucun secours, aucun témoin, même pas une main tendue pour me secourir.

Dans le gouffre du désespoir j'aurais plongé seule pour ne plus jamais revenir à la surface de cet océan sans fond. Me sachant rejetée de Dieu et cet abandon de mon Bien-Aimé me plaçait dans un grand désespoir. Je ne croyais plus à Sa Miséricorde. Pendant ces jours, je me sentais dans un tombeau, je me croyais morte, car je ne pouvais plus voir la lumière… je ne pouvais plus respirer… je n'avais plus d'espoir… je n'avais plus qu'à me laisser mourir. J'ETOUFFAIS! La seule solution à mes problèmes était de me laisser mourir. Je n'avais aucun but de vouloir vivre, de me raccrocher à la vie. Pourquoi vivre?… puisque je n'ai plus la foi… je n'avais plus d'espérance!

Marcher dans les ténèbres nous conduit à rien. Si j'avais au moins un peu d'esprit de foi pour voir que ce qui m'arrive n'est qu'une situation voulue par Dieu… mais rien! Et lorsque je mentionne le nom de Dieu, je ressens une révolte intérieure et mon cœur, pourtant sensible, devient un cœur qui se durcit devant l'Amour de Dieu, se refuse à se laisser aimer par Lui, à se laisser prendre dans Ses bras… je me raidis et mon cœur devient comme un cœur de pierre et je me dis: Seule une personne damnée peut comprendre ces effets de la Miséricorde de Dieu qui autrefois m'attiraient et aujourd'hui m'éloignent de Lui. Je ne puis plus prier. Je prie sans prier… Je marche sans marcher… je regarde sans voir. Je me demande si Dieu existe? Où est-Il? Je ne crois plus à Son Amour pour moi… et s'Il existait vraiment, Il viendrait sûrement à mon secours. Cependant on ne vient pas au secours d'une âme damnée, il n'y a plus rien à faire.

Mon cher Janko, je ne veux pas te faire de peine, ni te scandaliser par tous ces propos. Cependant, cette transparence entre nos âmes m'oblige à t'exposer l'état de mon âme. Continuellement, le malin semble me dire que je suis damnée, que je suis placée sur la terre pour la perte des âmes, surtout des âmes consacrées… tout est noir. Le tunnel à traverser est sans fin, sans lueur d'espérance… si j'étais vraiment l'enfant de Dieu pourquoi m'a-t-Il rejetée?

Le moment le plus pénible était lorsque j'écrivais les causeries… Je ne croyais plus à ce que j'écrivais… à plusieurs reprises, je voulais tout détruire. Un soir, à ma grande surprise, le Père Armand est venu me voir pour me rencontrer, et dans le petit sanctuaire du Père Éternel, il voulait me confesser. J'étais incapable de m'exprimer… et c'est là que j'ai compris la grandeur du sacerdoce. Le Père Armand me parla de Dieu… de Sa Miséricorde… de Son Amour. Je puis me confier… Il me donna le Sacrement du Pardon où je revis le geste de Jésus auprès de Marie Madeleine. Je sentis en mon âme la paix et l'amour renaître.

Comme le Sacrement du Pardon est grand et précieux: pouvoir aller rencontrer Jésus dans le prêtre... N'est-ce pas merveilleux d'entendre la voix du prêtre nous redire comme Jésus «Je te pardonne au nom de Dieu...va, ne pèche plus!» Comprendre la grande Miséricorde de Dieu est plus facile pour moi quand le prêtre a une grande FOI en son sacerdoce. Plus le prêtre s'identifie à Jésus, plus les Sacrements qu'il donne sont accessibles à l'âme, et l'Amour du Père descend sur eux en grâces abondantes (prêtre et pénitent). Si tous les prêtres pouvaient comprendre ce qui se passe au moment de l'absolution, eux-mêmes en profiteraient pour aider davantage les pénitents. Ils demanderaient davantage à Dieu de vivre leur sacerdoce en plénitude, sachant qu'ils ont reçu le pouvoir de guérir les âmes et les corps. Ils ont le devoir de croire au pouvoir qu'ils ont reçu!

Mon cher Janko, dois-je te parler de mon état physique? Je sens un épuisement total qui m'oblige à ralentir mes activités. J'ose te décrire mes souffrances physiques: parfois le matin, je dois demander à Dieu la force et le courage de me lever afin d'accomplir Sa Volonté. J'aimerais rester couchée pour me reposer; mais mon devoir d'état m'oblige à rester debout pour recevoir des gens, pour les écouter et prier pour eux. Dieu semble vouloir me dire que le seul repos est en LUI.

Je reviens à la souffrance physique que Dieu me demande de porter... pendant l'Eucharistie, Dieu le Père permet que je partage les souffrances de Son Fils, Ses souffrances physiques et morales. Je voudrais mourir avec LUI, cependant il me faut accepter la Volonté du Père sur moi.

Et par cette acceptation de ma volonté unie à la Sienne émerge des grâces pour toute l'humanité. Grâces qui se répandent sur l'Église, sur le Saint-Père, sur tout le peuple de Dieu croyant ou non croyant. Par le Précieux Sang de Jésus versé sur chacun de nous... nous sommes davantage purifiés et ceci nous donne la paix.

Pendant l'Eucharistie, les souffrances physiques que je porte sont difficiles à décrire. Cependant, je vais essayer de te les décrire en toute confiance et transparence pour que ton cœur de prêtre comprenne ce que signifie «Je veux être identifiée à Jésus et Jésus crucifié.» Voici ce que je ressens: c'est comme une opération à cœur ouvert... mon cœur est déjà blessé... c'est comme si on voulait le détacher de mon corps... chaque battement du cœur est une douleur intense... chaque respiration me semble la dernière de ma vie tellement la douleur est aiguë et la *transfixion* n'est rien à comparer à ce qui se passe à ce moment-là. À ce moment-là, je ressens aux poignets et aux pieds les douleurs de Jésus, comme si elles venaient d'être faites, c'est-à-dire comme si Jésus me les donnait pour la première fois... alors qu'à chaque Eucharistie tout est renouvelé.

Sur le côté, c'est comme si mon cœur était transpercé par un dard dentelé qui une fois pénétré du côté gauche du cœur ne peut plus être retiré sans ressentir des douleurs indescriptibles... car j'ai deux côtes brisées du côté gauche et le sternum brisé depuis bientôt deux ans. L'épaule gauche est déchirée par le portement de la Croix et devient de plus en plus lourde par les péchés de l'humanité. L'épuisement physique et mon insuffisance cardiaque me rendent la douleur plus aiguë, et parfois m'oblige à TRAÎNER cette Croix que je NE DOIS JAMAIS LAISSER TOMBER.

La douleur de la couronne d'épines est plus accentuée pendant l'Eucharistie... chacune des épines, identifiée par une douleur intense, correspond à l'indifférence de l'humanité à l'égard du Père Miséricordieux. Certaines épines sont pour les âmes consacrées, d'autres en réparation des profanations et des blasphèmes, d'autres encore en réparation de l'orgueil de ceux qui portent des couronnes de gloire éphémère.

Pendant l'Eucharistie, les plaies de la flagellation se font ressentir avec plus d'intensité... c'est comme si mon corps était en lambeau! Du côté de L'ALLIANCE, qui est du côté droit, c'est le côté de prédilection choisi par le Seigneur pour sauver des âmes en plus grand nombre. Pendant l'Eucharistie, je ne vois plus à cause du sang et des larmes qui remplissent mes yeux... mes yeux sont brûlés comme si des fers rouges brûlaient mes yeux pour les faire sortir de leur orbite.

La blessure sur mon nez est ainsi: c'est comme si je recevais un coup de barre de métal très dur qui produit une douleur qui me traverse la tête et se fait ressentir jusque dans la nuque. Pour mes bras, c'est comme si on les tordait, les muscles deviennent sans force et tout s'immobilise. Pour les jambes, je sens la pesanteur du corps, comme s'il descendait dans mes jambes. C'est comme si le corps voulait se détacher des bras et des épaules... comme si tous les organes du corps ne veulent plus demeurer à leur endroit, mais sont forcés de se déplacer par la douleur. La colonne vertébrale ne peut plus contenir toutes ces souffrances... Aucune des parties du corps ne demeure sans souffrance. Les pieds ressentent la lourdeur de tout le corps, le pied gauche sur le droit... Je ne puis changer de position, même bouger un orteil devient une douleur atroce.

Cette souffrance qui a lieu à chaque Eucharistie débute à l'offertoire, elle atteint un point culminant au moment de l'Élévation et humainement je crierais tellement la douleur est intense, mais je garde le silence par respect pour Celui qui est sur la Croix et à qui je suis unie.

C'est uniquement après la communion que la douleur disparaît pour ne pas être distraite pendant l'Adoration et la Présence Réelle de Jésus en moi. Pendant la journée, la souffrance humaine demeure, mais toujours unie à Celle de Jésus.

Cher Janko, te décrire tout ce que comporte ma vie comprendrait des milliers de pages, mais Jésus Se réserve des moments d'intimités, et par respect pour ce que Dieu fait en moi, je dois garder le silence pour le moment. Un jour tu comprendras davantage.

Cher Janko, si tu me demandais si tout ce que je viens d'écrire est vrai, je te crierais du plus profond de mon âme que tout cela est faux. Pure imagination de mon esprit, invention pour détruire la réalité et l'image de Jésus crucifié. Le malin me dit que j'écris sous son influence et qu'il est l'auteur de ce témoignage.

Cependant au plus profond de mon âme, je voudrais que tout ce témoignage te reflète L'ÉTAT DE MON ÂME, dans lequel je suis plongée. Il n'y a que la prière et le sacrifice et les bras de Marie pour m'empêcher de sombrer dans la boue du désespoir. C'est pourquoi je lance un dernier cri à Marie de me sauver!

Cher Janko, si ce n'était que de moi, je détruirais cette lettre, mais j'accepte qu'elle te parvienne afin qu'elle puisse aider d'autres âmes qui passeraient par de tels tourments lesquels sont sources de purifications pour les prêtres, l'Église et l'humanité.

J'accepte de demeurer dans cet état aussi longtemps que le Père Éternel le désirera, afin qu'Il soit glorifié dans le *fiat* de Sa servante; et malgré mon état d'âme, je Le supplie de ne pas m'enlever de sur cette Croix.

Mon Bien-Aimé: «Ma Bien-Aimée, Je ne pourrai jamais t'enlever de sur cette Croix, car J'en souffrirais trop, Je me sentirais seul à M'offrir au Père; et L'ALLIANCE qui nous unit par l'amour et la souffrance doit être respectée et accomplie selon la Volonté du Père sur nous[40].»

Cher Janko, par ton sacerdoce Dieu t'accordera la grâce de comprendre L'ÉTAT D'ÂME de ta petite sœur. Puisse-t-elle te stimuler à prier davantage pour moi. Pour ma part, même dans la nuit, j'essaierai de continuer de prier et de me sacrifier pour toi, comme tu me le demandes dans ta dernière lettre.

Je serai avec toi jusqu'au bout de ta vie, même si toute mon âme semble vivre le contraire de ce que je t'écris. Je n'ai jamais confié à un prêtre tout ce que je t'ai écrit, sinon aux Pères Guy et Armand. Je compte sur tes prières, sur ta Messe de chaque jour, et je t'assure que ta Mère du Ciel sera toujours près de toi jusqu'au bout de ta vie.

Regarde-toi sur la photo… tu es dans les bras de Marie avec Jésus… Tu es Son Enfant Bien-Aimé, et rêve à ton dernier sommeil dans les bras de

---

[40] Paroles dites à Georgette à la fin de cette lettre du 29 juillet 1991.

Marie avec Jésus pour entrevoir un doux réveil éternel dans les bras du Père. Si ton rêve se réalise avant le mien… ne m'oublie pas.

La petite servante de Dieu au service de l'Église et des âmes.

Georgette (Mimi)

18 août 1992

Dans mes souffrances je prie souvent et avec ferveur pour que tu t'accroches solidement à ce radeau tout puissant en entrant dans cet heureux port de paix et de joie.

Ton petit des petits frères

Pauvre Janko

Montréal, le 2 mai 1993

Mon cher frère Janko,

Fidèle serviteur du Père et enfant chéri de Marie,

Il y a des mois et des mois que je pense et prie pour toi sans aucune nouvelle. Combien de fois je demandais à Dieu de me donner le don de bilocation pour aller vers toi, pour prier avec toi, pour t'aider. Mais pas de réponse.

Que se passe-t-il là-bas, toujours la guerre! Combien de martyrs pour l'Église? Combien de sang versé? Tous les jours je suppliais Dieu de protéger Son peuple, de les soutenir dans leur Foi!… et j'offrais à Dieu, le Père Éternel toutes ces souffrances physiques et morales, unies à la passion de NOTRE BIEN-AIMÉ JÉSUS et à SON PRÉCIEUX SANG, sans oublier les larmes de Marie Reine de la Paix.

En janvier 1992, Mon Bien-Aimé me demande de prier Dieu le Père Éternel d'envoyer toute la Cour Céleste pour qu'Elle soit un rempart pour protéger Medjugorje.

Cette vision de la GUERRE! Je la vivais au plus profond de mon cœur et ma pauvre petite âme était en agonie. Je me sentais si impuissante devant tant de crimes. Dans les moments les plus critiques et angoissants, je me demandais où était mon frère Janko, a-t-il traversé la petite rivière mystérieuse? Est-il blessé... Comment est l'état de son pauvre cœur?

Je redoublais de prières et par la Foi à cette union de nos deux âmes, je te retrouvais toujours, je relisais tes lettres. Mais le plus important était de te retrouver en vie dans l'amour et la souffrance par le don total de nos vies... Ce lien mystique de nos âmes, de nos vies est si précieux, c'est un cadeau du Père Éternel.

Mon cher Janko, parfois je pensais à toute la souffrance morale et physique que tu portes en toi, et je demandais à Dieu de permettre que je porte avec toi ces souffrances et chaque fois je recevais comme réponse ceci: «Mon fils aimé Janko est dans l'amour et la paix. La Vierge Marie Reine de la Paix le protège toujours, ainsi que les voyants de Medjugorje.»

Après cela, le calme habitait mon cœur et la paix revenait. Dans les moments les plus sombres de la vie, il faut toujours garder et protéger notre Foi unie à la Sainte Volonté de notre Père.

Parfois nous devons plonger dans l'océan infini de la Miséricorde infinie et nous laisser bercer par la vague, allant vers le bonheur éternel.

Mon cher frère Janko, tu sais, il y a des heures sombres, mais il nous faut toujours regarder vers le Ciel, où il y a de la lumière et de l'espérance. Cette petite lumière en notre âme est le signe de la présence de Jésus et de Son Amour.

Mon cher Janko, durant la période du Carême, Jésus me demanda de Le suivre pas à pas chaque jour. Avec Sa grâce, j'ai appris à Le connaître dans le plus intime de tout Son être: marcher avec Lui dans Son Amour, Sa Charité… dans Sa Patience, dans Ses souffrances, dans les doutes, dans Son agonie, etc.

Ce long Chemin de Croix, ce cheminement vers la Croix lumineuse a été pour moi un avant-goût du Ciel. Oui, marcher avec Jésus… être Son ombre. Être l'ombre de Jésus, c'est disparaître pour laisser la lumière qui est Jésus, qui précède l'ombre.

Maintenant je suis de plus en plus faible… déjà 71 ans de souffrance. Je n'ai plus la force de marcher… c'est pourquoi je me place dans les bras de Marie, qui m'offre avec Jésus au Père Éternel. Tu es présent à cette offrande de chaque jour. Ma seule raison de vivre est le vœu d'amour… du DON TOTAL.

Mon cher Janko, il faut que je te quitte avec regret, car je t'écris dans l'ombre de la nuit. Je me recommande à tes ferventes prières pour que je reste fidèle à la Sainte Volonté du Père Éternel sur Sa petite fille immolée.

Je demande au Père Éternel de poser Sa main sur toi et de te bénir. Et que Jésus place Sa main sur ton cœur de prêtre pour te redire tout Son Amour. Et surtout combien Il t'aime de plus en plus… TOI… le plus petit des prêtres.

Oui, mon cher Janko, tu es si petit que Jésus te place dans la paume de Sa Main Puissante pour t'offrir au Père Éternel.

Je demande à Jésus de toujours rester avec toi, dans ta chère âme à l'abri des dangers. Je demande au Saint Esprit d'être de plus en plus VIVANT en toi, pour Le donner à ceux que Dieu place sur ton chemin.

Je demande à Marie Reine de la Paix de te garder dans Ses bras, près de Son Cœur Immaculé qui t'aime.

Que ton ange gardien soit ton protecteur. Union de prières.

Mon cher frère Janko, voudrais-tu, s'il vous plaît me bénir, avec ceux que je porte dans mon cœur et dans ma prière. Merci.

La petite servante de Dieu et de l'Église.

Ta petite fille affectueusement en la Sainte Trinité et Marie.

Georgette Faniel (Mimi)

Montréal 1ᵉʳ mai 1994

Père Janko Bubalo.

Mon cher frère Janko,

Élu du Ciel,

En effet, voilà le titre des enfants de Dieu: être élus du Ciel et cohéritiers. Comme notre foi et notre espérance seraient grandes si nous pensions chaque jour à tout ce que Dieu le Père Éternel nous a donné et préparé pour être heureux. Mon cher Janko, j'ai beaucoup prié pour toi, pour que Marie Reine de la Paix te protège et te porte dans Ses bras de Mère.

Un soir, j'étais dans le sanctuaire du Père Éternel et je regardais Son image et je pleurais. Je Lui disais ceci: «Père Éternel, mon Bien-Aimé Père, je souffre avec Toi de voir toute Ta création saccagée et détruite, il n'y plus de place pour le respect, l'Amour, il n'y a plus de foi, de prières, de pénitences.»

Le monde semble vouloir se conduire seul, sans l'aide de Dieu et la protection spéciale de Marie notre Mère. Maintenant, seuls dominent l'autorité, le pouvoir, la puissance, l'argent, l'orgueil, la violence, la haine. Il y a destruction de toutes les valeurs humaines. Elles se meurent, faute d'amour, de paix, de charité.

Je vois passer devant mes yeux ce cortège de misères humaines, combien de morts, de blessés, de souffrances morales, physiques et spirituelles. Mon petit cœur fait mal, il est blessé et je lance ce cri de douleur vers Dieu: «Mon Dieu, notre Père, ayez pitié de nous. Par le Précieux Sang de Votre Divin Fils Jésus, et par les douleurs de Marie Reine de la Paix, que nous soyons tous purifiés. Pardon et Miséricorde pour mes péchés et les péchés de toute l'humanité.»

Et ma confiance redouble de ferveur envers Marie Reine de la Paix. Elle est notre Mère, et est La seule à nous apporter la Paix du cœur, de l'âme, de l'esprit. Oui, une Paix durable dans l'amour, la charité, le partage. Si nous pouvions tous mettre en pratique le 1ᵉʳ commandement de Dieu, le vivre sincèrement, le mettre au cœur de nos vies, il n'y aurait plus de guerre. «Mon Dieu, que Ton Règne arrive, nous avons tous, un besoin de Ton Amour miséricordieux.»

Mon cher Janko, ce n'est pas pour rien que Dieu le Père te garde encore sur la terre. Il a grandement besoin de ton amour, ta prière, ta souffrance physique, morale et spirituelle.

Ta grande douleur unie à la Passion de Jésus et aux douleurs de Marie a un prix aux yeux de Dieu. Souffrances cachées, mais agréables au Père, Lui rappelant Son Fils crucifié.

Je demande à Marie d'être toujours près de toi, pour te consoler, te soutenir. Qu'Elle soit ta force, ton courage, ta paix, pour continuer le chemin que Dieu a tracé pour toi de toute éternité, avec toutes les âmes qui ont bénéficié de tes prières, ta foi, tes conseils, de tes Messes célébrées avec une si grande dévotion, etc. Tout cela enveloppé d'amour pour glorifier le Père Éternel et louer Marie par Jésus.

Mon cher Janko, je pense à toi et je m'unis à ta vie sacerdotale. Ne l'oublie pas, nous sommes prêtres et victimes dans les mains du Père pour coopérer au salut du monde, qui sont nos frères et nos sœurs. Il y a aussi, et c'est précieux, le Père Guy et le Père Armand Girard. Nous formons dans le cœur de Dieu une petite famille d'amour et de paix.

Le 8 mars 1994, j'ai eu à subir une grande épreuve, la mort de ma compagne et amie Régine. Elle demeurait avec moi depuis 15 ans. Par son dévouement, elle était une petite sœur. Une autre épreuve le 1ᵉʳ novembre 1993, la mort d'une nièce, Jacqueline âgée de 29 ans (accident). Puis, le 3 novembre 1993, la mort de ma sœur Jeanne, âgée de 86 ans. J'ai aussi une sœur Marcelle, âgée de 84 ans, très malade, elle souffre beaucoup. Je demande des prières, s.v.p., pour ces personnes membres de ma famille, merci.

Pour ma part, il me faut toujours rester unie dans l'abandon à la Sainte Volonté du Père Éternel. Il nous fait signe par les événements, les personnes, parfois ce n'est pas facile de saisir ce que Dieu demande. Dans ce temps-là, je regarde ma petitesse et ma grande pauvreté, et je tends les mains, comme une mendiante d'amour, qui attend tout de son Bien-Aimé, pour l'aider à marcher dans sa foi.

La route est longue et je marche à petits pas, comme une enfant. Parfois, je demande à Marie de me porter dans Ses bras, pour me reposer, dormir un peu près de Son Cœur de Mère et là, toute blottie, j'écoute les battements de Son Cœur rempli d'Amour pour le Père, le Fils et l'Esprit-Saint et nous. Je suis heureuse d'avoir une Maman qui me portera dans Ses bras pour traverser la rivière mystérieuse où le bonheur sera sans fin.

Mon cher Janko, qui attendra l'autre?... Si c'est moi, je t'attendrai avec Marie. Si c'est toi, ne me fais pas attendre longtemps, car j'ai la nostalgie du Ciel. Tu sais, mon cher Janko, que la nostalgie du Ciel, c'est l'agonie de l'âme, avant le grand départ.

À la demande de Monseigneur Paul Grégoire, je suis allée le rencontrer à l'hôpital Notre-Dame, pour l'aider à se préparer à la rencontre de son Dieu. Il est décédé quelques jours plus tard dans une grande paix. J'ai fait de même pour Régine. Voilà déjà six personnes que Dieu me demande de soutenir, pour les aider à franchir la dernière étape de leur vie, et cette préparation doit se faire dans la foi, la prière, la confiance, la conformité à la Sainte Volonté du Père, le détachement de tout. Et seul restera la foi, la confiance en la Miséricorde du Père Éternel et la confiance sans limite en l'intercession de Marie pour nous. C'est toujours le rôle de la maman de porter son enfant, de le protéger, de le diriger dans le chemin où Dieu le veut, pour le conduire au bonheur Éternel.

Mon cher Janko, je compte toujours sur tes prières, j'en ai grandement besoin pour continuer ma route avec les gens que Dieu place près de moi. Si nous connaissions la valeur des âmes, la beauté, la bonté, la richesse de la grâce, la lumière, nous ne voudrions jamais perdre l'état de grâce. Que c'est beau, l'image de Dieu en nous; je me demande parfois comment des personnes ont peur de mourir? D'aller vers leur Père qui les attend, les bras tendus pour les bénir, les accueillir, pour les presser sur Son Cœur, rempli d'Amour, de bonté.

Au mois de mai, il y avait un chant que je chantais, toute petite, à l'église de l'Immaculée Conception, et voilà: «C'est le mois de Marie, c'est le mois le plus beau. À la Vierge chérie, disons un chant nouveau.» Quand Marie fait Son entrée au Ciel, avec Son petit enfant dans Ses bras, soit: Janko, Guy, Armand ou Mimi, le Père Éternel va au-devant avec Jésus pour les recevoir, le cœur rempli de joie, de bonheur. Et toute la Cour Céleste chante le *Magnificat*. Voilà notre entrée au Ciel, chez notre Père, merci mon Dieu.

Avant de terminer, voilà comment mon Bien-Aimé parle dans Son intimité avec moi:

«Sois la douce servante au service de Dieu et de l'Église. Sois la toute aimante au plus haut dans les cieux.»

Je te quitte à regret, mais je te porte dans ma prière et dans mon cœur. Voudrais-tu me bénir s.v.p. avec ceux que Dieu place sur mon chemin. Merci.

La petite servante de Dieu au service de l'Église.

Georgette Faniel (Mimi)

Montréal 2 mars 1995

Mon cher frère Janko,

Apôtre de l'Amour,

En effet être l'Apôtre de l'Amour, c'est bien le titre qui te revient. Mon cher Janko, depuis combien de temps l'Amour habite-t-il ta chère âme? Depuis si longtemps tu as, et tu es ce témoin de l'Amour de Dieu sur toi et en toi. Tu n'as jamais été égoïste de cet Amour, bien au contraire, tu as partagé, tu as donné cet Amour, à tes frères, tes amis et parfois tes ennemis.

Mon cher Janko, ce don total de ta vie a été un détachement, par les vœux de pauvreté, chasteté et obéissance, par la prière, la pénitence; parfois par le grand silence devant tant d'épreuves, puis l'acceptation de la Croix de chaque jour, année après année.

Et voilà, nous sommes arrivés presqu'au terme de notre vie terrestre, que nous reste-t-il? Il nous reste l'Amour miséricordieux du Père Éternel, l'Amour maternel de Marie, l'Amour de Jésus notre Bien-Aimé, sans oublier l'Amour du Saint-Esprit.

Mon cher Janko, nous possédons cette grande richesse, puisque nous sommes héritiers du Ciel, je devrais dire héritiers du Père Éternel. Nous préparons déjà sur terre notre Ciel, avec l'Amour de Dieu, l'Amour du prochain. Nous avons tout ce qu'il nous faut pour faire la Sainte Volonté de Dieu, pour accepter chaque jour, afin de continuer à répondre à cet Amour.

N'est-ce pas beau de vivre d'Amour pour mourir d'Amour?

Mon cher Janko, chaque jour je prie pour toi et je demande au Père Éternel de poser Sa Main sur toi pour te bénir et qu'Il exauce tes prières. Que peut-Il refuser à Son prêtre qu'Il aime?

Mon cher Janko, garde toujours ta foi dans ton sacerdoce et que ton regard soit fixé à cette vision de Dieu présent dans ta belle petite âme, Sa demeure, où Il Se plaît à vivre dans cet Amour, Lui le Tout-Puissant, et toi le petit Janko.

Mon cher Janko, Dieu m'a demandé un grand détachement, de quitter la demeure du Père Éternel, c'est-à-dire le logis où je demeurais depuis 66 ans. Que de souvenirs, de grâces, de prières, etc.

Donc, le 21 novembre 1994, jour de la Présentation de Marie, je quitte. Avant de partir, je me dirige dans le petit sanctuaire pour une dernière visite au Père Éternel, puis à Marie et au Sacré-Cœur.

Je regardais l'image du Père Éternel en Lui disant ceci: «Père très Saint, je Te bénis et je Te rends grâce pour tout ce que Tu m'as donné de grâces, de bonheur, de joies et aussi de peines et d'épreuves. Aujourd'hui, Tu me demandes de tout quitter. Je l'accepte et je Te remercie. Cependant accorde-moi, s'il vous plaît, la grâce que, où que je sois, je parle de Toi, je Te fasse connaître et aimer, dans Ta grande Miséricorde, mais surtout dans Ton Amour. Donne-moi, s'il vous plaît, la force et le courage.»

Donc, depuis le 21 novembre 1994, je demeure dans une Résidence pour personnes âgées, dirigée par les Petites Sœurs des Pauvres. Des petites religieuses toutes données aux services de Dieu et des Pauvres. Elles ont une très grande spiritualité, sans oublier la prière, le sourire, le service, la paix. Elles possèdent tout ce que Dieu nous demande pour Ses petits, Ses pauvres et Ses malades.

Tu constates que ma mission prend une autre direction. J'en suis très heureuse. Marie m'a accueillie et saint Joseph m'a acceptée. Cette maison porte le nom suivant: «Ma Maison Saint-Joseph». Pour le moment, je me porte comme le bon Dieu veut. Je vis dans le calme, la prière avec des petits, des malades, des pauvres et parfois des pauvres d'esprit. Il y a beaucoup de bien à faire pour faire connaître l'Amour de Dieu pour chacun de nous.

Mon cher Janko, donne-moi de tes nouvelles, cela me ferait plaisir, si Dieu le permet, j'ai confiance. Je sais mon cher Janko que Marie te protège toujours. Je t'envoie souvent mes anges pour te protéger. Union de prières toujours. Offre-moi au Père, par Marie avec Jésus. Merci!

La petite servante de Dieu et de l'Église,

Georgette Faniel

P.S.: Le couloir où est situé ma chambre s'appelle «Marie Reine de la Paix».

En guise de postface

Armand et Guy Girard sont les fils spirituels de Georgette Faniel (Mimi), aussi se devaient-ils d'offrir au monde ce qu'elle leur a donné.

Ce premier livre vous donne un aperçu de la vie de celle qui parlait avec le Père Éternel, Jésus, l'Esprit Saint et Marie.

Mimi a écrit ses notes spirituelles par obéissance à Dieu. Différents directeurs spirituels les ont vérifiées, le dernier en date étant le Père Armand Girard m.s.a. Il lui écrit souvent, en reprenant les confidences de Mimi et y ajoutant ses réflexions et ses conseils. Mimi gardait ce courrier, qu'elle relisait comme une lecture spirituelle.

Alliance – Georgette Faniel et Janko Bubalo: un signe pour Medjugorje n'est que le premier volume racontant la vie Mimi, cette «petite flamme au cœur de l'Église». Un second volume de ses notes spirituelles est à paraître sous le titre probable de *Elle ne parle pas à Dieu, elle cause avec Lui*.

N.B. Pour une aide afin d'assurer une plus grande diffusion du volume en plusieurs langues, merci d'adresser vos dons à:

Fondation Père Ménard/ Père Guy Girard m.s.a.

1195 rue Sauvé Est – Montréal QC – H2C 1Z8

e-mail: info@fondationperemenard.org

website: www.fondationperemenard.org

Remerciements

C'est douze ans après le mort de Mimi que l'inspiration d'écrire à son sujet nous apparut évidente.

A 77 ans, la fatigue et le poids de nos vies se font sentir. Pourtant il ne fallait pas regarder en arrière, mais au contraire avoir continuellement le cœur fixé sur la petite espérance qui nous a toujours servi de phare.

Nous ne devons pas égoïstement oublier tous ceux et celles qui nous ont aidés avec tellement de fidélité et de prières. C'est grâce à tous ces dévouements que nous pouvons rendre à terme cette œuvre que Dieu attendait de nous.

Nous voudrions citer ici le travail de Suzanne Dignard. Elle a connu Mimi et l'a accompagnée pendant des années. Elle était sa fille spirituelle.

Lise Dignard, sœur de Suzanne, a mis à l'ordinateur près de 3000 pages de notes spirituelles et courriers, avec une perfection inégalée. Un grand merci.

Nous remercions Madame Daria Klanac qui a fait la traduction en croate des lettres de Janko et fut un lien indispensable entre ce Père franciscain et Mimi! Elle nous apporta son aide par sa connaissance de Medjugorje.

Nous remercions Michèle Mirtha Fischer, qui a fait la relecture, et Sabrina Covic, éditrice, car sans les Éditions Sakramento ce livre ne serait pas entre vos mains, chers lecteurs et lectrices.

Enfin, merci à tous ceux et celles qui ont donné de leur temps pour la réussite de ce projet qui est devenu réalité.

Père Guy Girard m.s.a

Père Armand Girard m.s.a

Table des matières

Imprimerie Logotip - Siroki Brijeg
Bosnie-Herzégovine

Juin 2014

Dépôt légal 2me trimestre 2014